O Grande Livro da Mitologia Celta e Nórdica

O Grande Livro da Mitologia

Celta e Nórdica

CLAUDIO BLANC

3ª Impressão 2023

Presidente: Paulo Roberto Houch
MTB 0083982/SP

Coordenação Editorial: Priscilla Sipans
Coordenação de Arte: Rubens Martim
Preparação de Texto: Claudio Blanc

Vendas: Tel.: (11) 3393-7727 (comercial2@editoraonline.com.br)

Foi feito o depósito legal.
Impresso no Brasil

Dados Internacionais de Catalogação na Publicação (CIP)
(eDOC BRASIL, Belo Horizonte/MG)

Blanc, Claudio.
B638g O grande livro da mitologia celta e nórdica / Claudio Blanc. – Barueri, SP: Camelot, 2021.
15,5 x 23 cm

ISBN 978-65-87817-91-0

1. Mitologia celta. 2. Mitologia nórdica. 3. Civilização – História. I.Título.
CDD 909

Elaborado por Maurício Amormino Júnior – CRB6/2422

IBC — Instituto Brasileiro de Cultura LTDA
CNPJ 04.207.648/0001-94
Avenida Juruá, 762 — Alphaville Industrial
CEP. 06455-010 — Barueri/SP
www.editoraonline.com.br

Sumário

Prefácio

As palavras "mito" e "mitologia" remetem, em nossos dias, a alguma coisa irreal, ilusória, inverossímil. Mas os mitos e os conteúdos que esses termos trazem não são, de fato, fantasiosos – apesar de utilizarem a forma fantasiosa para transmitir seu significado. Eles falam de uma realidade mais sutil, profunda, da mente humana. Fonte de inspiração e de consolo, os mitos buscam dar um sentido ao mundo em que vivemos e à nossa breve vida.

Mitos são metáforas – imagens que sugerem mais do que parece existir à primeira vista. Essas metáforas, que podem ser expressas em pinturas, música, poesia ou encarnadas em personagens míticos, conduzem-nos a uma realidade invisível, porém, verdadeira. Essa é a força do símbolo, o poder do mito. Os mitos transcendem o racional, conectam-nos novamente com o mistério que habita em todos nós.

O belo imaginário poético da mitologia se refere a algo dentro de nós. Essas imagens são capazes de despertar verdades adormecidas em nossa psique. Toda a experiência que nossa espécie trouxe ao longo da sua evolução, os impactos causados em nossa psique pelos mistérios que nos cercam e que surpreendiam e atemorizavam nossos ancestrais, o mistério de estar vivo neste lugar aqui e agora, a certeza da morte que nos assombra, tudo isso e outras coisas que sequer sonhamos podem ser despertadas, percebidas intuitivamente, vistas em *insights* através de imagens, de símbolos, de metáforas – através de mitos.

Nossa vocação ao transcendente se reflete na arte, na poesia e na religião que a humanidade tem criado ao longo das eras. Monumentos fúnebres, como as pirâmides egípcias, evocam o mistério da morte. Os versos dos poetas de todos os tempos celebram a profundidade da alma humana. As igrejas são arquitetonicamente concebidas para nos levar à transcendência. Entrar num templo é como atravessar um portal. Nesses espaços – cobertos de símbolos profundamente evocativos – os mitos são encenados através de rituais. Nessas cerimônias, as imagens remetem o fiel ao mistério que habita dentro dele mesmo, à lembrança do todo divino do qual ele faz parte. Não importa qual seja a religião ou seita, o efeito é o mesmo: uma profunda revelação mística, a abertura a uma realidade diferente da ordinária, que vivemos no dia a dia. Lidas em assembleias, cantadas em cultos ou encenadas em ritos, são as imagens bíblicas que arrebatam os pentecostais; a evocação da paixão de Jesus que compadece os católicos; a promessa de salvação do Buda que inspira seus seguidores; o épico Bhagavad Gita ensinando os hindus sobre a verdade da vida.

As figuras míticas, como Zeus, Moisés ou Jesus – frequentemente comparadas a deuses solares como Apolo, e sacrificais, como Dioniso –, seus ensinamentos e o exemplo legado cumprem um papel fundamental no sentido de situar o humano no universo que o cerca. O mitólogo americano Joseph Campbell (1904 – 1987) dizia que o mito tem basicamente quatro funções. A primeira é a função mística, que engloba a percepção e evocação do mistério que nos cerca, a maravilha que somos nós, o respeito e espanto perante esse mistério.

A segunda função do mito lida com a dimensão cosmológica, um papel hoje restrito à ciência. Os mitos, como a ciência, também buscam explicar a origem e a natureza das coisas.

A terceira função é a sociológica. O mito suporta e valida uma determinada ordem social. E é aqui que os mitos variam tremendamente de lugar para lugar. É essa função sociológica do mito que estabelece leis éticas – como as instituídas pelos profetas hebraicos do Velho Testamento –, leis que determinam como se comportar, o que vestir, comer, bem como o relacionamento entre os sexos. E é justamente esse aspecto sociológico do mito que está incendiando o mundo de hoje. Grupos religiosos radicais que não toleram a imposição de novos costumes, pois são contrários às interpretações que fazem dos seus textos sagrados, perturbam a instabilidade política. É estranho pensar que a grande maioria dos conflitos que existem hoje, em pleno século XXI, envolve mitologia ou religião.

A quarta função do mito é a pedagógica. Os mitos mostram como viver a vida de forma sábia e profícua. Há importantes lições neles. É por isso que as velhas histórias têm sido contadas há milênios, repetidas de geração em geração, abrindo as portas dos mistérios do mundo, explicando a natureza das coisas, estabelecendo normas de conduta, ensinando lições de vida.

Sonhos e Contos de Fadas

O poder dos símbolos para o homem moderno foi constatado e explorado por Karl Jung e os seguidores da escola de psicologia analítica que ele fundou. Apesar da distância que existe entre nossa sociedade e as culturas arcaicas, os símbolos criados pelas últimas não perderam a importância para a humanidade. Jung postulou que a mente humana tem sua história própria e nossa psique retém muitos traços dos estágios anteriores da sua evolução. Mais ainda: essas informações retidas no nosso inconsciente – a parte da nossa psique cujo conteúdo atua sobre nossa conduta, mas escapa do âmbito da consciência e nem pode por ela ser acessado – exercem sobre a psique uma influência formativa. Conscientemente, ignoramos a existência dos símbolos, mas inconscientemente reagimos a eles. Nossos sonhos estão, segundo Jung, não só impregnados dessas formas simbólicas como se expressam através delas. E esses símbolos são os mesmos que permeiam os mitos e os contos de fadas.

Quase sempre, achamos que nossos sonhos são desconexos. No entanto, o analista junguiano, ao fim de um período de observação, consegue constatar uma série de imagens oníricas com estruturas significativas. Alguns desses símbolos oníricos provêm daquilo que Jung chamou de "inconsciente coletivo", isto é, a parte da psique que retém e transmite a herança psicológica comum da humanidade. As analogias entre os mitos antigos e as histórias que surgem nos nossos sonhos não são triviais nem acidentais. As analogias entre os mitos antigos e os sonhos existem porque a mente inconsciente do homem moderno conserva a faculdade de fazer símbolos, antes expressos através das crenças e dos rituais do homem primitivo. Essa faculdade de fazer símbolos ainda continua a ter uma importância psíquica vital. Dependemos, muito mais do que imaginamos, das mensagens trazidas por esses símbolos, e tanto nossas atitudes quanto o nosso comportamento são profundamente influenciados por elas.

Um bom exemplo de como reagimos aos temas simbólicos, num contexto cristão como o de nosso país, é o dos símbolos da Páscoa – os ovos e o coelho. E tudo começa no próprio Jesus Cristo. Seu nascimento, morte e ressurreição seguem os padrões de muitos mitos heroicos antigos, de outros "salvadores" da humanidade, como Osíris, Tammuz e Orfeu. Como Jesus, tiveram nascimento divino ou semidivino. Também eles viveram uma existência significativa, foram mortos e ressuscitaram – uma estrutura baseada originalmente nos ritos sazonais de fertilidade, como os que se celebravam em Stonehenge, na Inglaterra, durante os solstícios. Essas religiões antigas são chamadas de religiões cíclicas, em que a morte e a ressurreição do deus-rei era um mito eternamente recorrente. Mas há uma diferença entre o Cristianismo e os outros mitos do deus-rei: aqui Jesus sobe aos céus para se sentar à direita do Pai, ou seja, a sua ressurreição acontece uma só vez e não se repete.

Esse sentido de caráter final, definitivo, será talvez uma das razões que levaram os primeiros cristãos, ainda influenciados por tradições anteriores, a sentir que o Cristianismo deveria ser suplementado por alguns elementos dos ritos de fecundidade mais antigos: precisavam que essa promessa de ressurreição fosse sempre repetida. É justamente isso o que simbolizam o ovo e o coelho da Páscoa. Apesar de toda a nossa sofisticação, alegramo-nos com a festa simbólica da Páscoa, presenteamos nossos filhos com ovos e os ensinamos sobre a fertilidade do coelho – a promessa de renovação da vida.

Embora possa parecer espantoso, o homem moderno ainda continua a reagir às profundas influências psíquicas que, conscientemente, rejeitaria como simples lendas folclóricas de gente supersticiosa e sem cultura. Mais do que isso: esses mitos arcaicos têm um elo crucial com os símbolos produzidos pelo inconsciente e comunicados através dos sonhos. Essas mensagens oníricas são códigos simbólicos que podem nos ensinar muito sobre nós mesmos ou sobre as situações que nos envolvem.

Com efeito, conforme escreveu Paul Auster em seu romance *The Invention of Solitude* (A Invenção da Solidão), "as crianças precisam de histórias tanto quanto precisam de comida". Na verdade, todos nós – adultos e crianças – precisamos do conteúdo simbólico que os antigos mitos, as histórias contadas por nossos ancestrais, conservam e do transporte que acionam.

Claudio Blanc

Mitologia Celta

Os Celtas

Há mais do que simplesmente o tempo separando a civilização celta da nossa. Entre nós e eles, além dos milênios, há toda a extensão da cultura greco-romana e da impregnação cristã. Os celtas viam o mundo a partir de uma perspectiva diferente da nossa. Enquanto nós olhamos a realidade de forma objetiva, racional, científica, os celtas buscavam penetrar o mistério do destino humano e deixar-se embriagar por ele. Eles viam e viviam outra dimensão da psique humana, que escapa ao tempo e ao espaço: a dimensão dos sonhos, transcritos em mitos que explicam o universo ao redor e ensinam como relacionar-se com os elementos desse universo. E é dessa postura com relação ao mundo que os cercava que deriva o estilo de vida, a arte, a religião, os mitos, a história, a civilização dos celtas.

Durante quase 2.000 anos, tudo o que se sabia a respeito desse povo era aquilo que os escritores clássicos – muitas vezes seus inimigos – registraram sobre eles. No entanto, a parir do século XIX, a Arqueologia, que trouxe à luz a iconografia e a arte celtas, e a literatura irlandesa e gaélica, que conservaram os mitos tradicionais na íntegra, ou muito próximos da integridade, vieram revelar mais a respeito dos celtas. O folclore dos países celtas modernos, isto é, da Irlanda, Escócia, País de Gales, Bretanha e partes da Inglaterra (também o norte de Portugal e algumas regiões da Espanha, como a Galícia, conservam acentuada tradição celta) conservou nas suas músicas, danças, parlendas, crenças populares, lendas e esportes muito da tradição desse antigo povo.

Embora os fenícios tenham sido os primeiros a frequentar as Ilhas Britânicas para se abastecer de estanho, séculos antes dos gregos, os escritores gregos são a mais antiga fonte do conhecimento sobre os celtas, ou hiperbóreos, como eles o chamavam. Hecateu de Mileto, no século VI a.C., foi primeiro a registrar informações sobre os celtas. Ele situou o país dos hiperbóreos ao norte dos Alpes – um fato confirmado pela Arqueologia.

Um século depois, Heródoto, o grande historiador grego, estendeu o domínio da civilização celta aos Pirineus e identificou sua presença até o oeste da Península Ibérica, onde hoje é Portugal. O filósofo Aristóteles se referia a eles como *keltos* e afirmava que eram belicosos e que mergulhavam os bebês recém-nascidos na água gelada para fortalecê-los. Outro grego que deixou relatos sobre os celtas foi Éforo, no século VI a.C. Segundo Éforo, os hiperbóreos multavam os homens gordos demais. Para isso tinham um padrão autorizado que determinava a largura da cintura. Esse autor também informa que os celtas habitavam os Países Baixos e que, segundo Olivier Launay, em seu livro *A Civilização dos Celtas* "não tinham medo de nada."

As descobertas modernas confirmam as afirmações de Hecateu de Mileto e de outros escritores antigos sobre a localização do "país celta". Embora tenha dominado toda a área correspondente à França, Península Ibérica, Ilhas Britânicas e República da Irlanda, a matriz da cultura celta era a área alpina e o sul da Alemanha. Essa cultura se desenvolveu em duas fases durante a Idade do Ferro europeia: a cultura Hallstatt (c. 900 – 400 a.C.) e a de La Tène (c. 550 - 15 a.C.).

Hallstatt é uma pequena cidade austríaca, a trinta quilômetros de Salzburgo, onde foram encontradas as primeiras evidências arqueológicas de objetos que caracterizam a cultura celta. Nesse primeiro estágio da cultura celta, onde se vivia em casas feitas de troncos e os animais domesticados eram porcos, carneiros, gado, cães e cavalos, os ritos funerais eram constituídos de cremação. No entanto, os enterros não eram incomuns.

Os celtas da cultura Hallstatt não restringiram seu domínio apenas ao sul da Alemanha. A moderna arqueologia sustenta que, no seu último século de desenvolvimento, os celtas já haviam penetrado e se instalado na Península Ibérica, Bretanha, Ilhas Britânicas e Escandinávia. E é sobre os desenvolvimentos produzidos durante a fase Hallstatt que surge a cultura de La Tène – a segunda Idade do Ferro da Europa Central e Ocidental. Em La Tène, uma pequena cidade suíça, foram descobertas as primeiras instâncias de uma evolução cultural baseada no período anterior, isto é, o Hallstatt. O estilo La Tène tem marcas claras dos padrões decorativos gregos, etruscos e citas, com quem os celtas mantinham contatos comerciais.

Foi durante o período La Tène que os celtas atingiram sua máxima extensão cultural. A sociedade celta era organizada em torno da guerra – uma estrutura característica de culturas em processo de migração. Poderosos guerreiros, bem como habilidosos cavaleiros e ferreiros sitiaram e saquearam a cidade de Roma em 390 a.C., e invadiram a Ásia Menor. Também invadiram a Península Itálica e fundaram Mediolanum (Mediolano), hoje, Milão. Tribos da cultura La Tène chegaram até o sul da Rússia, mas seu grande movimento foi em direção ao oeste, onde ocuparam os antigos centros dos celtas Hallstatt.

No entanto, não há evidência arqueológica de invasões militares em larga escala em outras áreas do oeste europeu. Esse fato originou uma escola de pensamento que afirma que a língua e a cultura celta se espalharam nessas áreas por meio do contato e não por invasões. Os imigrantes, e em alguns casos invasores, que vinham com a "onda celta" se miscigenavam com a população que já estava instalada nos locais onde se estabeleciam.

No final do século V a.C., os celtas já haviam se instalado às margens do Reno e do Elba, e no começo do quarto século antes de Cristo, a tribo dos bretões (Brythons) e a dos goidélicos (vindos do norte da Espanha) cruzaram o Canal da Mancha e ocuparam a Inglaterra e a Irlanda, respectivamente. A Gália, a Espanha e o norte de Portugal também foram ocupados por grupos tribais da cultura La Tène. Os nomes de algumas tribos celtas continuam a determinar etnias até hoje, como é o caso dos lusitanos e os galegos, em Portugal e na Espanha. Todo o centro e o oeste da Europa viram florescer uma poderosa cultura que, apesar das inegáveis influências gregas, itálicas e do Oriente Médio, era própria.

A Sociedade Celta

Longe do que se pode imaginar, os celtas não eram uma raça homogênea, mas, sim, uma nação com uma cultura comum, mas dividida em tribos diferentes. O que unia essas sociedades tribais era a língua, o comércio, as instituições políticas semelhantes e a religião. No entanto, cada tribo tinha seu próprio corpo de tradições locais. Assim, o controverso termo "celta" se refere a qualquer membro de um dos povos europeus que usavam a língua celta – do ramo linguístico indo-europeu – e que compartilhavam de uma arte e religião comuns.

A sociedade era tribal e baseada no parentesco. A identidade étnica era sedimentada principalmente no grupo tribal maior, chamado pelos celtas irlandeses de os goidélicos de tuath ou "povo". Essa identidade era, por sua vez, determinada pela unidade familiar, o clã, *cenedl*, isto é "aparentado", em irlandês. Além de identidade, o clã garantia proteção: as disputas entre os indivíduos sempre irradiavam para a esfera do clã. E como era obrigação do clã proteger os seus, os crimes contra um dos protegidos eram considerados ofensas contra todo o clã. Um dos principais princípios éticos celtas era a contenda de sangue; um assassinato ou insulto qualquer exigia que cada membro do clã buscasse vingança. A contenda de sangue era tão comum que surgiu uma classe de mediadores profissionais, chamados na Irlanda de *brithem*.

Os clãs que formavam as tribos eram liderados por reis, embora tenham surgido repúblicas oligárquicas em áreas que tinham contato próximo com a cultura romana. Normalmente, a sociedade celta se dividia em três classes: a aristocracia de guerreiros, a classe intelectual, formada pelo Clero, pelos poetas, juristas e outros, e o povo comum.

Júlio César, o primeiro imperador de Roma, é o cronista da época que mais detalhadamente descreve os costumes dos celtas La Téne. César combateu os celtas na Gália, a atual França, e registrou suas impressões sobre eles na sua obra *A Guerra das Gálias*. César confirma a existência de três classes entre os celtas da Gália, os gauleses. As pessoas comuns eram tratadas praticamente como escravos. César descreveu duas classes superiores, a dos Cavaleiros e a dos Druidas. Aos primeiros, liderados por um rei, cabia a defesa da tribo durante as guerras – e os celtas das diferentes tribos combatiam muito entre si. Eram os cavaleiros que amealhavam poder e influência política sobre as pessoas comuns. Nos tempos históricos, na Irlanda, sabe-se que os reis eram eleitos por meio de um sistema de sucessão.

Embora a sociedade celta fosse guerreira e assim estruturada, a promoção de guerras não era um processo organizado de conquista territorial. A guerra era travada de uma forma semelhante à dos índios brasileiros e americanos, isto é, incursões guerreiras motivadas principalmente por vingança, conquista de glória militar ou busca de butim ou de saque. Mas quando os celtas passaram a ter maior contato com os romanos, eles modernizaram e adaptaram suas táticas de guerra a fim de poder enfrentar exércitos maiores.

Os autores antigos registram que, durante os combates, os celtas se postavam diante do exército inimigo, gritando e batendo as lanças e espadas nos seus escudos. Em geral, combatiam nus, com o corpo pintado de azul e com as cabeças dos inimigos que abateram em outros combates amarradas à cintura. Então disparavam a correr em direção dos seus opositores, berrando durante todo o percurso. Ante a visão estarrecedora de um bando de fanáticos, os inimigos, muitas vezes, abandonavam suas fileiras e fugiam. Os celtas, então, valiam-se da vantagem proporcionada por um exército em fuga. Se, porém, as

Gravura de um guerreiro gaulês, isto é, pertencente à tribo celta que vivia na atual França, segundo gravura de Wattier para a Magasin Pittoresque, Paris, 1842. O capacete da ilustração era, porém, usado em rituais, mas não nos combates. De fato, os celtas combatiam nus.

forças contrárias não rompessem suas fileiras, os celtas paravam perto do exército, retornavam à sua posição original e repetiam o processo.

A segunda classe descrita por César é a dos druidas, os quais se ocupavam dos cultos, dos sacrifícios – tanto públicos como privados – e da interpretação de desígnios. Os druidas gozavam de grande prestígio entre os celtas, assumindo igualmente o papel de conselheiros e juízes, decidindo sobre crimes e disputas de propriedade. "Se uma pessoa ou pessoas não se atêm às suas decisões", registrou César, "os druidas os proíbem de fazer sacrifício, o que constitui sua maior punição".

Outros escritores da Antiguidade indicam que a ordem religiosa também se dividia em três classes. Estas pertenceriam, segundo alguns autores, à ordem druídica. Estrabo afirma, na sua obra *Geographica*, que "entre todos os povos da Gália, falando de forma geral, há três tipos de homem tidos na mais alta honra: os bardos, os vates e os druidas." Estrabo segue explicando que "os bardos eram cantores e poetas; os vates, adivinhos e filósofos naturais; e os druidas, além da filosofia natural, também estudavam filosofia moral". Os bardos celebravam os feitos dos heróis compondo "versos épicos", os quais recitavam acompanhados pela lira, enquanto os vates procuravam explicar os grandes mistérios da natureza. É deles que deriva o verbo "vaticinar".

Em termos econômicos, a sociedade celta não se baseava no comércio, como a dos fenícios. Havia escambo, mas o princípio econômico predominante era a reciprocidade. Na economia de reciprocidade, os bens e serviços não são trocados por outros bens ou serviços, mas são distribuídos de acordo com relações de parentesco e obrigações.

Por outro lado, evidências arqueológicas sugerem que os celtas anteriores à invasão romana desenvolveram um complexo de rotas comerciais que chegava à Eurásia. O território ocupado pelos celtas tinha zinco, chumbo, ferro, prata e ouro. Os ferreiros e ourives celtas criavam armas e joias para o comércio, particularmente com os romanos, mas também com outros povos. Peças de ouro produzidas na Irlanda pré-romana foram descobertas em sítios arqueológicos da Palestina.

Observatórios Megalíticos

O conhecimento astronômico dos celtas também é notório. O complexo de Stonehenge, em Avebury, Inglaterra, embora não tenha sido iniciado pelos celtas, mas pelos aquitânios, que ali viviam antes da chegada dos imigrantes ou, em alguns casos, dos invasores, foi concluído e utilizado pelo povo que tomou o lugar. Trata-se de um verdadeiro observatório astronômico, usado para marcar a passagem dos astros no céu e cronometrar a vida da Terra com relação aos movimentos estelares. Era, também, onde se executavam rituais com base na posição dos astros.

Outro calendário – este ainda mais preciso que o dos romanos – era o de Coligny. O conhecimento astronômico dos celtas denota que eles tinham uma razoável compreensão matemática.

A tradição era mantida e passada adiante oralmente. Há poucos registros pré-cristãos escritos em língua celta. Os poucos que restaram lançam mão das letras gregas e latinas. O alfabeto Ogham da Irlanda e da Escócia tinha um caráter mais mágico do que prático, sendo usado como oráculo em cerimônias, na gravação de túmulos e em pedras mágicas.

Mulheres

Contrárias às gregas e romanas, as mulheres celtas tinham uma participação efetiva na sociedade. Apesar de ser uma cultura centrada na aristocracia guerreira, descobertas arqueológicas indicam que as mulheres podiam gozar de elevado status social. Antes da fusão da cultura celta com a romana, as mulheres tinham direito de exigir divórcio e deixar o casamento com as propriedades que possuía quando solteira. Além disso, elas tinham todo o direito de se casar de novo. Há registros sobre mulheres que tomavam parte na guerra e no governo do seu povo, embora fossem a minoria. Talvez o melhor exemplo seja o de Boadicea.

Boadicea, ou Boudica, (30 – 61 d.C.), rainha da tribo celta Iceni, que vivia no leste da Grã-Bretanha, liderou a insurreição de diversas tribos contra os invasores romanos. Quando o marido de Boadicea, o rei Prasutagus, morreu, os romanos anexaram seu reino e humilharam a rainha e suas filhas. Ignorando o prestígio que as mulheres gozavam na sociedade celta, os invasores açoitaram Boadicea e estupraram suas filhas. Mas o ódio de Boadicea incendiou toda a Inglaterra. Ela liderou uma aliança de diversas tribos que, entre 60 e 61, ameaçou a permanência dos romanos na Grã-Bretanha. O exército de Boadicea destruiu as colônias de Camulodunum (Camuloduno), atual Colchester, Londinium (Londínio), a moderna Londres, e Verulamium (Verulâmio), presentemente Saint Albans, deixando em seu caminho um rastro de destruição que fez cerca de oitenta mil vítimas. O imperador Nero chegou até mesmo a considerar retirar as forças romanas da ilha. No entanto, Boadicea foi finalmente derrotada na Batalha de Watling Street, pelas forças consideravelmente menores do governador Suetônio.

A Cultura Galo-Latina

Após dominarem a Europa Ocidental e comandarem incursões até a Ásia Menor, no século III a.C., as forças da coalizão sanita, celta e etrusca foram derrotadas por Roma. A Terceira Guerra Sanita, o nome pelo qual o conflito passou para a História, pôs um fim à supremacia celta. Mesmo assim, os últimos reinos celtas independentes da Itália só vieram a cair completamente em 192 a.C. No século I a.C., os romanos conquistaram, sob Júlio César, a Gália celta. O golpe final foi desferido no século I d.C. pelo imperador Cláudio, que estendeu o poder de Roma até algumas partes da Ilhas Britânicas, particularmente onde hoje é a Inglaterra. A partir de então, os celtas se tornaram romanizados. A língua oficial nesses lugares passou a ser o latim, e a administração, a arquitetura, os usos, enfim, passaram a ser o dos romanos. Após a invasão romana da Gália e da Inglaterra, muito dessa cultura se perdeu, ou melhor, mesclou-se com a influência romana. Uma nova cultura surgiu baseada no sincretismo celto-romano, ou galo-romano.

Houve, porém, lugares onde a influência de Roma não chegou e onde a essência da cultura celta foi mantida até os dias de hoje. São os chamados países celtas modernos. A Irlanda, a Escócia e o País de

Gales são os que melhor preservaram a literatura celta, a qual nos ajuda a reconstituir a vivência e as crenças desse povo tal como elas eram. Os mitos preservados se instilaram no folclore dessas áreas. Principalmente nesses países, ainda é possível constatar o espírito, a disposição, os modos e maneiras dos antigos celtas.

A Religião Celta

O mundo celta era povoado de criaturas sobrenaturais, como as fadas que habitam os bosques e os leprecaus (sapateiros) que guardam seu pote de ouro no fim do arco-íris. Um universo mágico, no qual os deuses interagem com os homens por meio dos elementos e dos seres que os cercam. Os animais falam, os homens morrem e renascem como gamos, javalis, salmões e, novamente, como homens. Os celtas acreditavam na imortalidade da alma e na transmigração do espírito de um corpo para outro. Observavam os desígnios dos homens no caminhar dos astros através do céu. Ainda hoje, na região oeste da Irlanda, no interior da Escócia e no País de Gales, as crenças dos antigos celtas estão preservadas no folclore e nas crendices dos habitantes dos lugares mais remotos.

Druidas

Entre os celtas, havia uma classe de homens místicos. Não eram apenas sacerdotes, mas magos, astrólogos, astrônomos, filósofos, médicos e cientistas. Júlio César, um dos mais importantes cronistas a relatar os costumes dos celtas da Gália, registrou a proeminência da ordem druídica entre esse povo. Os druidas representavam o clero organizado e exerciam grande poder sobre a sociedade, julgando questões de propriedade e de direito, mantendo a relação entre as esferas da sociedade e cuidando do aspecto espiritual em geral. Os druidas "se ocupam com o culto divino, a correta execução dos rituais, tanto públicos como privados, e a interpretação de questões rituais", escreveu César em seu *A Guerra das Gálias*. São eles, prossegue César, "que decidem quase todas as disputas; e se algum crime foi cometido, ou assassinato, ou se há alguma disputa sobre herança e propriedade, eles também decidem isso, determinando recompensas e penalidades." Os druidas, porém, tinham um líder, o grão-mestre – a maior autoridade da ordem. Quando este morre, "qualquer um que seja proeminente o sucede, ou, caso haja vários na mesma posição, eles são eleitos pelo voto de outros druidas ou, até mesmo, disputam a posição pelas armas", relatou César.

Os druidas costumavam ter reuniões anuais, onde decidiam questões sobre a ordem e ouviam as reclamações do povo. Os encontros eram determinados pelo movimento dos astros nos céus, assim como eram os festivais que eles realizavam. "Em certas épocas dos anos, esses druidas se reúnem próximos a Carnutes (a moderna cidade francesa de Chartres), cujo território é tido como o centro da Gália e tem um conclave num lugar sagrado", diz César. "Para ali vão todos aqueles que têm disputas e eles obedecem às decisões e julgamentos dos druidas."

César também dá conta dos privilégios que os druidas gozavam e relata sobre o treinamento que recebiam. "Normalmente, os druidas se mantêm distantes das guerras e não pagam impostos de guerra; são dispensados do serviço militar e isentos de todas as obrigações. Atraídos por essas grandes compensações, muitos jovens buscam ser treinados nessa ordem; outros são enviados por seus pais e familiares." O treinamento dos druidas era tão rigoroso quanto longo. "Os relatos dizem que nas escolas dos druidas eles decoram um grande número de versos e, portanto, algumas pessoas ficam vinte anos sendo preparadas", atesta César. Era importante que os druidas conservassem os ensinamentos, fórmulas mágicas e poemas na memória, pois nada do conhecimento druídico era escrito. De acordo com o escritor britânico Robert Graves (citando a maior autoridade sobre os celtas antigos, o general romano Júlio César), "eles não julgam apropriado registrar as palavras (do seu conhecimento) por escrito, embora para praticamente todos os outros assuntos, nos seus registros públicos e privados, eles usam letras gregas". Não se sabe exatamente o motivo desse costume. A história demonstrou que as grandes doutrinas foram corrompidas depois de terem sido escritas. Grandes mestres espirituais, notadamente Buda e Jesus de Nazaré não escreveram seus ensinamentos para preservá-los na sua forma mais pura. Foram seus discípulos – Ananda, no caso do primeiro, e os seguidores de Jesus, inclusive Maria Madalena – que registraram aquilo que seus professores pregavam. Depois de escritas, tanto a doutrina budista como a cristã foram interpretadas de formas diferentes, originando diversas seitas. César declara sua opinião pessoal para explicar porque os druidas não utilizavam a escrita para documentar sua tradição de sabedoria: "creio que eles adotaram essa prática por dois motivos – porque eles não querem que sua regra se torne propriedade comum e porque não querem que aqueles que aprenderam a regra confiem na escrita a ponto de negligenciar o cultivo da memória; e, de fato, normalmente acontece que a ajuda da escrita tende a relaxar a diligência da ação da memória."

Apesar de não conhecermos os nomes dos antigos deuses celtas, a não ser os preservados pela literatura mítica irlandesa e escocesa, César também registrou a devoção que os celtas dirigiam às suas divindades. O general romano usou, porém, o nome em latim correspondente para se referir ao panteão celta. Assim, sabemos que "entre os deuses, o mais cultuado é Mercúrio". Esse deus, correspondente ao grego Hermes, era excepcionalmente esperto e eloquente; deus dos ladrões, protetor dos viajantes e dos mercadores, era ele quem conduzia as almas à sua morada final. Depois do romano Mercúrio, identificado por Tassilo Orpheu Spalding como o celta Dumias, os deuses mais cultuados pelos gauleses eram, segundo César, "Apolo [*o deus gaulês Belenos*], Marte, Júpiter e Minerva". César confirma também a semelhança entre essas divindades e suas contrapartidas greco-romanas: "sobre esses deuses, ele têm quase as mesmas ideias mantidas pelas outras nações: Apolo [*Belenos*] traz a cura de doenças, Minerva fornece os primeiros princípios das artes e profissões, Júpiter mantém o império dos Céus e Marte controla a guerra".

Os druidas também sustentavam que os homens descendiam de um pai comum, Dis, a quem os romanos chamavam de Dis Pater. De acordo com César, como Dis é senhor do submundo, seu culto "determina todos os períodos de tempo pelo número de noites, em vez de pelo número de dias, e na sua observação dos aniversários e o começo dos meses e dos anos o dia sucede a noite."

A doutrina druídica já foi comparada à de Pitágoras e à bramânica, uma vez que as três têm traços comuns. O ponto congruente dessas tradições de sabedoria diz respeito à imortalidade da alma e da transmigração. "A doutrina principal que eles [os druidas] ensinam é a de que a alma é imortal e que, após a morte [do corpo físico], passa para um outro corpo; eles sustentam que essa crença, porque o medo da morte é deixado de lado, é um grande incentivo à bravura." , escreveu César.

A mesma identificação da crença druídica da imortalidade com o ensinamento pitagórico foi feita por Válio Máximo na primeira metade do século I d.C. "Um velho costume dos gauleses", escreveu ele, "é emprestar somas em dinheiro que serão pagas no próximo mundo, tão convencidos eles estão de que as almas dos homens são imortais; e eu diria que são tolos, a não ser pelo fato de esses bárbaros de calças crerem na mesma fé do grego Pitágoras."

Hipólito, que registrou seu relato por escrito no século 3 d.C., atesta que os druidas entraram em contato com a doutrina de Pitágoras por meio de um dos seus discípulos. Clemente de Alexandria vai além. Segundo ele, foi Pitágoras quem instilou o conhecimento místico que amealhou em suas viagens e iniciações não só entre os druidas, mas em diversas outras ordens espirituais da Antiguidade.

Outro tema central do druidismo, como de diversas outras classes sacerdotais da Antiguidade, como os sumérios, babilônicos, egípcios e hindus, era o da profecia, principalmente, através da observação das estrelas. Para estudar o ciclo dos astros, eram construídos e mantidos grandes observatórios de pedra e madeira. O maior e mais conhecido desses é o de Stonehenge, em Avebury, Inglaterra. Embora não tenham sido os celtas, nem seus druidas, que iniciaram a construção desse templo observatório, eles certamente terminaram de erigi-lo e o utilizaram em seus rituais e festivais.

Círculos de Pedra

Henges são solitários e evocativos templos pagãos, que, ao contrário de outros monumentos megalíticos, só existem nas ilhas britânicas. Cerca de cem deles ainda desafiam o tempo, erguendo-se desde o Arquipélago Orkney, na Escócia, à Cornualha, no sul da Inglaterra. São estruturas circulares ou ovais, definidas por um aterro e uma vala, para onde há uma ou duas entradas. O aterro é, geralmente, fora da vala, formando, desse modo, a fronteira para um espaço sagrado, separado física e espiritualmente do mundo cotidiano.

O mais famoso henge é, sem dúvida, Stonehenge, perto da cidade de Avebury, Inglaterra. Parece que sua construção começou há mais de cinco mil anos e continuou pelos 1700 anos seguintes, ficando mais complexa à medida que o conhecimento astronômico aumentava. São círculos de pedra, buracos e dolmens que serviam de marco para se observar o surgimento do sol ou da lua contra uma reta formada com algum ponto no horizonte. O que resta hoje desse espetacular templo-observatório astronômico são apenas ruínas. Contudo, podem nos dizer alguma coisa sobre ele.

Há três círculos: o externo tem 56 posições marcadas; e os dois internos, 30 e 29. Há também uma grande pedra, a nordeste, a Pedra Altar, onde, especula-se, executavam-se sacrifícios de sangue. Os solstícios de inverno e verão e as posições norte e sul são particularmente marcadas e os dois círculos internos permitem contar meses lunares com precisão.

A teoria do templo-observatório, desenvolvida pelo professor Alexander Thom, é a mais aceita. Pesquisas recentes demonstraram que Stonehenge começou como um santuário lunar, mas, com o tempo, foi modificado para o culto do sol. A entrada original do templo se alinhava com o surgimento mais setentrional da lua no século. Essa preocupação com a lua tem, provavelmente, ligação com rituais de morte. No entanto, conforme as escavações indicam, os sacerdotes-astrólogos acabaram mudando a entrada do templo nove graus ao sul, alinhando-a, assim, com o surgimento do sol no solstício de verão. Enquanto executava os rituais, exatamente no centro do círculo de pedra, o sacerdote veria o sol nascer exatamente na pedra-portal, chamada de Heel Stone, ou Pedra Calcanhar.

Os Rituais de Stonehenge

Com a propaganda que os romanos fizeram dos antigos habitantes das ilhas britânicas, a associação com sacrifícios de sangue sempre aparece quando se fala na primitiva Inglaterra. Stonehenge não escapa do estigma. Pelo contrário, fornece testemunho. De acordo com os arqueólogos, a área está cheia de evidências. A três quilômetros de Stonehenge, na direção nordeste, foi encontrado o túmulo raso de uma menina de três anos e meio, voltada para o nascente e para a entrada do templo. Seu crânio tinha sido, visivelmente, partido em dois por um machado.

Esses sacrifícios feitos na fundação de uma construção eram comuns. Como medida de proteção, costumava-se enterrar cabeças junto à pedra fundamental de templos e fortalezas. Outros desses "sacrifícios de fundação" se encontram no santuário de Avebury, próximo de Stonehenge. Um adolescente de quatorze anos marcava um importante alinhamento das colinas artificiais, quando esse templo foi reconstruído pela última vez.

Outra história desenterrada no local é o "assassinato de Stonehenge". Em 1978, o corpo de um homem forte, de aproximadamente 27 anos, datando do início da Idade do bronze (c. 2.500 a.C.), foi encontrado na vala do henge. Havia três pontas de flecha no cadáver, no peito e nas costelas. A vítima foi alvejada de uma distância curta e, então, tratada com desprezo, sendo jogada numa cova aberta às pressas, com as flechas ainda cravadas no seu corpo. Quando foi encontrado, ele ainda tinha, no pulso, um protetor de couro, como o usado pelos arqueiros.

Há ainda outros símbolos intrigantes revelados pelos arqueólogos. Um chefe guerreiro, por exemplo, enterrado numa das colinas funerárias que cercam Stonehenge, levou com ele para o Além as insígnias do seu poder terreno: uma clava feita de um tipo raro de calcário, um machado de bronze e duas adagas de bronze e cobre, uma delas com o punho ornado com incrustações de ouro. Sua riqueza também estava expressa no cinturão ornado com ouro marchetado encontrado no túmulo.

As maças e os machados cerimoniais de pedras semipreciosas, como a jadeíta, tinham um papel central nos ritos e emprestavam autoridade aos sacerdotes. Muitas delas foram encontradas no templo, bem como bolas de greda e bastões de sílex, os quais o pesquisador Burl acredita serem símbolos fálicos. O significado menos óbvio é o das taças encontradas no local. Provavelmente, são emblemas da sexualidade feminina.

Stonehenge é envolvido em mistério e lenda e o próprio lugar onde o monumento foi erguido, com suas colinas funerárias abrigando os restos de heróis neolíticos, exerce um entusiasmo indescritível. Esse feito da engenharia pré-histórica foi construído, provavelmente, pelos pictos, o primeiro povo a habitar as Ilhas Britânicas e que se retirou para a atual Escócia, conforme a Inglaterra era invadida por sucessivas levas de diferentes povos. Mas o mistério de Stonehenge está associado aos druidas celtas, que certamente usaram o observatório nos seus estudos e práticas religiosas, embora não o tenham construído. Há até uma lenda que diz que Stonehenge foi trazida da Irlanda para a Inglaterra por Merlin, o mais famoso druida, num passe de mágica.

Na verdade, foi preciso bem mais que mágica para construí-lo. Pedras de até cinquenta toneladas foram transportadas de distâncias por terra de até cinquenta quilômetros, superando obstáculos naturais que exigiam o esforço de até seiscentos homens. As pedreiras, acreditam os pesquisadores, ficavam a 290 quilômetros de Stonehenge, nas Montanhas Prescelly, mas o trajeto que os pré-históricos faziam era, provavelmente, de 360 quilômetros, a maior parte dos quais através de rios e canais navegáveis. As pedras do templo, chamadas "pedras azuis", são, na verdade, doleritos, uma rocha preferida nas construções de santuários pré-históricos. Os ancestrais dos modernos ingleses acreditavam que esse mineral tinha poderes curativos.

De todas as estruturas semelhantes a Stonehenge, nenhuma é tão complexa ou impressionante. Não se sabe nada além do que os vestígios nos contam, mas seja lá qual for a resposta para os mistérios de Stonehenge, com suas pedras monumentais, suas colinas funerárias e o impressionante horizonte que envolve esse templo-observatório, logo se sente que foi e sempre será um lugar em honra ao deus Tempo.

O Culto às Árvores

A vida ritualística celta era centrada quase sempre em lugares da natureza. A paisagem tinha uma influência muito grande na mística desse povo. Havia templos, mas não eram tão comuns quanto as catedrais naturais, isto é, bosques, nascentes e poços, onde realizavam seus cultos. As fontes e florestas eram os locais mais cultuados. O poder contido na natureza se relaciona, também, a um dos aspectos mais proeminentes da religião dos celtas: o culto às árvores. Vistas como deusas – as árvores sagradas eram guardadas por fadas – cada tipo de árvore tinha determinado atributo e poder. Eram habitadas por um espírito da natureza que, como tal, passava de um ser a outro, ou de um elemento da paisagem – rocha, fonte, cascata – a outro. Venerar a árvore equivalia a honrar a divindade que a habitava e cultuar o poder que ela incorporava. Os nomes de reis e heróis irlandeses, muitos ainda em uso, dão testemunho ao caráter divino que as árvores evocavam: MacCuill, um rei lendário, quer dizer "Filho da Aveleira", outro herói, McCulinn, é o "Filho do Azevinho."

O culto às árvores fez surgir construções que as incluíssem como elementos arquitetônicos. Na Inglaterra, o folclore de certas regiões preserva relatos de palácios ou templos construídos em torno de árvores sagradas. Também costumavam plantar o que o escritor Nigel Pennick chamou de "aldeia-árvore". Na região oeste da Inglaterra, a que mais preserva a influência celta, plantavam-se carvalhos e olmeiros, amarrando seus galhos de forma que fossem se entrecruzando na medida em que cresciam. Nos dias de festa, os aldeões içavam plataformas de madeira e as colocavam sobre os galhos. E era sobre esses tablados em meio às árvores que a festa, a música e as danças aconteciam.

Normalmente, a forma mais comum de se venerar uma árvore sagrada em particular era nela amarrar faixas, fitas ou panos. Quase sempre isso era feito por aqueles que buscavam a cura para algum mal. A oferenda tinha de ser amarrada à árvore com lã crua, pois os celtas acreditavam que esse material era capaz de absorver substâncias maléficas. Algumas vezes, porém, as fitas ou panos eram pregados na árvore.

Há no folclore irlandês um exemplo famoso dessas árvores votivas. O Carvalho de Maelrubha era coberto de pregos, nos quais se fixavam faixas. Mas também havia moedas, medalhões, fivelas e ferraduras pregados nessa árvore lendária. Também entre os gauleses havia o célebre carvalho Lapalud. Todos os homens cuja ocupação empregava o martelo, isto é, ferreiros, carpinteiros ou pedreiros, cravavam um prego em Lapalud quando passavam por ele pela primeira vez. De acordo com Nigel Pennick, um correspondente de Lapalud, chamado "Stock-im--Eisen, é preservado até hoje, ainda cheio de pregos, numa redoma de vidro no pátio de um edifício de Viena".

O espírito que habita a árvore não é, necessariamente, o Espírito da Vegetação. Um dos locais que os celtas consideravam mais sagrados e onde normalmente buscavam a cura de alguma doença, eram os poços, olhos-d'água e nascentes. Essas fontes naturais eram manifestação de alguma divindade. A água estava, assim, imbuída do poder daquele espírito. No entanto, quando um poço sagrado era profanado, ele secava. A divindade migrava, então, para uma árvore nas proximidades e passava a habitá-la. Dessa forma, as árvores absorviam o poder das fontes e se tornavam "árvores-poço".

Entre todas as árvores, o carvalho era a mais sagrada. O carvalho não era apenas a árvore sagrada, mas o principal objeto de culto dos celtas. Durante as festividades e cerimônias cujo objeto era a fazer o sol brilhar e os frutos da terra crescerem, os celtas acendiam e alimentavam os fogos cerimoniais com madeira de carvalho. Ainda é comum, hoje em dia, fazer fogueiras de carvalho durante os festivais de verão, como os Fogos de Beltane que continua a acontecer todo dia 1 de maio, na Escócia.

Associado ao culto do carvalho estava a importância do visco. Trata-se, na verdade, de um parasita do carvalho. O visco que cresce nos carvalhos era visto como o espírito da árvore. Se alguma coisa acontece com a alma, o corpo é afetado. A lenda de Balder – um símbolo do carvalho – que, apesar de ser nórdica, é congruente com a visão celta, ecoa essa crença. Nada podia afetar o supostamente invulnerável Balder, a não ser o visco. O significado disso é que "a matéria é afetada pelo espírito". De fato, Balder é abatido por um ramo de visco.

A ideia do visco como a alma que sustenta o carvalho vem de uma percepção singela. Enquanto o carvalho perde as folhas durante o outono e o inverno, o visco sobre ele permanece sempre verde. O visco está intrinsecamente associado aos druidas, os quais se embrenhavam nos bosques com suas foices de ouro em busca dessa planta. Era, portanto, justamente o visco que conferia ao carvalho seu lugar de destaque no culto às árvores. Ao observá-lo crescendo sobre o carvalho, os celtas – e outros povos europeus – concluíam que a árvore não só era imortal, mas invulnerável.

Além da imortalidade e invulnerabilidade, o carvalho também estava vinculado à ideia de justiça. No templo do deus Esus, o deus gaulês que elaborava e mantinha as leis, crescia um carvalho através de uma abertura no teto do templo, no qual os criminosos que incorriam em faltas repetidamente eram executados. O culpado era pendurado num dos ramos do carvalho e seu ventre era cortado de forma a expor o estômago.

Sacrifícios Humanos

Autores gregos e romanos testificam que os celtas praticavam sacrifícios humanos. Nosso olhar moderno condena essas práticas imediatamente, sem considerar que aqueles que a executavam estavam num outro estágio de evolução social e cultural. Aubrey Burl, no seu *Rites of the Gods* (Ritos dos Deuses), afirma que "o sacrifício humano não pode ser comparado com nossa atitude moderna com relação ao assassinato". Para Burl, esses rituais "simbolizam alguma necessidade da sociedade, cuja urgência era afirmada com mais veemência se o símbolo escolhido fosse um ser humano".

Júlio César foi um dos primeiros a descrever os Holocaustos executados pelos gauleses. Mas César não anotou apenas aquilo que viu dos costumes gauleses; ele incorporou às suas observações os relatos do explorador grego Posidônio, que viajara através da Gália no final do século II a.C., isto é, meio século antes de César ter invadido a área. O geógrafo Estrabo também relatou os sacrifícios humanos praticados pelos celtas. A combinação das narrativas traz, portanto, uma boa ideia sobre como esses ritos eram executados.

O método mais comum de se sacrificar pessoas era por meio do fogo. As vítimas, porém, também podiam ser abatidas a flechadas ou empaladas em locais sagrados. Os criminosos eram invariavelmente reservados para esse fim. Quando não havia criminosos em número suficiente, os celtas lançavam mão de prisioneiros de guerra.

Apesar de muitos sacrifícios terem lugar anualmente, o maior festival sacrifical acontecia a cada cinco anos. Nessa ocasião, imagens colossais dos deuses feitas de madeira e vime eram construídas. Dentro delas, encerravam um número enorme de dádivas às divindades, isto é, humanos, gado, cavalos, gatos ou raposas. Em seguida, os druidas que conduziam a cerimônia ateavam fogo nas imagens, e o fogo consumia tudo, levando na sua fumaça a essência das vítimas, pronta para ser absorvida pelas divindades.

O sentido de tal prática era o de obter fertilidade para a terra e para o povo. Os homens e animais sacrificados representavam o Espírito da Vegetação e eles eram mortos dessa forma para fazer com que o sol brilhasse e as colheitas fossem abundantes. O Espírito da Vegetação tinha o poder de fazer as árvores frutificarem, as colheitas crescerem e garantia a fertilidade dos animais e homens. Inicialmente, não só entre os celtas, mas nas antigas sociedades agrícolas em geral, o Espírito da Vegetação encarnava numa pessoa especial, muitas vezes um "rei". No entanto, esse rei não tinha um caráter político, mas sim ritualístico. Como a vegetação, que precisa ser ceifada, e como a semente que tem de descer à escuridão do solo, enfrentar, portanto, seu túmulo, o Rei da vegetação era sacrificado. O sacrifício do deus, isto é, da sua encarnação humana, era um passo necessário para a sua ressurreição numa forma melhor. Ele tinha de ser morto para que o espírito divino nele encarnado fosse transferido ao seu sucessor em pleno vigor. Como o corpo onde a força divina estava encerrada é sujeito à decadência e à corrupção física, a vítima tinha de ser sacrificada ainda jovem e saudável. Posteriormente, à medida em que as sociedades foram se desenvolvendo, o Rei da Vegetação passou a ser outro homem, criminoso ou prisioneiro de guerra.

Esse costume celta acabou se instilando no folclore de vários países habitados anteriormente por esse povo. Ainda hoje, são celebrados festivais com gigantescas fogueiras, como os Fogos de Beltane, na Escócia. Em diversas regiões da Grã-Bretanha e da França, durante os festivais de verão, são construídas grandes figuras de vime, quase sempre representando um guerreiro, que, depois de uma procissão, são queimadas. Até meados do século XX, porém, em partes da França e da Alemanha, costumava-se queimar gatos nas fogueiras dos festivais de verão, e na Rússia, sacrificava-se um galo branco. Em Luchon, uma cidade dos Pirineus, costumava-se prender serpentes dentro das imagens de vime queimadas nos festivais de verão. No entanto, provavelmente o uso de serpentes é um elemento introduzido pelo Cristianismo, pois, diferentemente das serpentes, os animais sacrificados pelos druidas – cavalos, bois, raposas, galos – as cobras não são símbolos do espírito do grão que deverá germinar as plantações. As serpentes, por sua vez, são vistas pelos cristãos como uma representação do mal.

Culto à Cabeça

Outra forma de sacrifício cultuada pelos antigos celtas estava relacionada ao Culto da Cabeça. O pesquisador Paul Jacobsthal afirma que entre os celtas, a cabeça humana é venerada acima de tudo, pois para eles a cabeça é a alma, o centro das emoções e a própria vida; um símbolo do divino e dos poderes sobrenaturais. O culto da cabeça está documentado tanto em representações esculturais da arte La Tène, como em mitos sobreviventes, como o de Brân. Os heróis dessas histórias têm suas cabeças decepadas. Longe, porém, de morrer, as cabeças separadas do corpo mundano adquirem a capacidade de enxergar outra realidade, uma dimensão mítica.

Diodoro Sículo, que no século I d.C. escreveu sua obra *História*, registrou que os celtas "decepam as cabeças dos inimigos mortos em combate e as amarram aos pescoços dos cavalos. Os despojos ensanguentados eles entregam aos seus atendentes e pregam esses frutos nas suas casas, da mesma forma como fazem os que exibem certos animais que caçam. Eles embalsamam as cabeças dos inimigos mais distintos em óleo de cedro, as guardam cuidadosamente num baú e as exibem orgulhosamente aos estranhos, dizendo que por aquela cabeça um dos seus ancestrais, seu pai, ou ele mesmo, recusou uma grande soma em dinheiro. Alguns bravateiam que recusaram o peso da cabeça em ouro."

Como a cabeça era a sede da alma, possuir o crânio de um inimigo, honradamente ganha em batalha, era um troféu prestigioso para qualquer guerreiro. Os celtas acreditavam que se cravassem a cabeça decepada em um maestro ou na cerca de sua casa, a cabeça começaria a gritar quando um inimigo estivesse se aproximando. Se a cabeça fosse de um inimigo considerado particularmente importante, ela era colocada num santuário e venerada. Para os antigos celtas, a cabeça decepada era uma fonte de contínuo poder espiritual.

O Cristianismo Celta

Ao mesmo tempo em que o Cristianismo se espalhava pelo Império Romano, populações de áreas não conquistadas da Escócia, Irlanda e País de Gales passaram a adotar espontaneamente o Cristianismo. Era, porém, uma versão própria da religião de Jesus, independente da

Igreja de Roma, uma forma conhecida como Cristianismo Celta. A conversão dos habitantes celtas ao Cristianismo, a fundação de mosteiros e de escolas monásticas e o uso da escrita trouxeram grande expansão cultural às Ilhas Britânicas. Durante os séculos VI e VII d.C., essas escolas estavam entre as mais importantes do mundo ocidental. Estudantes de toda a Europa iam para a Irlanda em busca de conhecimento, pois o continente, pilhado e saqueado pelos bárbaros depois da queda de Roma – em 476 –, iniciava sua Idade das Trevas. Nos mosteiros irlandeses independentes da Igreja Romana, produzia-se arte e conhecimento. Os manuscritos ornamentados com iluminuras são a principal síntese da onda cultural desse tempo, a Renascença Celta. A principal figura do esforço missionário do Cristianismo celta foi São Patrício, o Apóstolo da Irlanda.

DICIONÁRIO

Abadino, Abandinus

Deus ou espírito masculino cultuado em Godmanchester, em Cambridgeshire, Inglaterra, durante o período de ocupação romana. A única referência existente sobre essa divindade é uma inscrição num altar: "Ao deus Abandinus, Vatiacus dedica este [com] suas próprias economias". Trata-se, provavelmente, de deus local, possivelmente associado a uma nascente ou a um riacho.

O nome poderia ser interpretado como uma forma estendida de uma raiz composta de elementos protoceltas e significaria "(o deus) que canta para (algo/alguém)" ou "(o deus) que amarra (algo/alguém) a (algo/alguém)". Entretanto, é possível também ver o nome como uma forma estendida de uma variante.

Abelio, Abellion, Abelionni, Abellios

Deus cultuado no vale Garonne na província romana da Gália Aquitânia, hoje sudoeste da França, provavelmente associado às macieiras. Alguns estudiosos propõem que Abelio seja, na verdade, Apolo, o deus greco-romano da luz, da profecia, da música e das artes. De fato, de acordo com o *Dictionary of Greek and Roman Biography and Mythology* (Dicionário Biográfico e Mitológico Greco-Romano), em Creta e em outros locais, Apolo também eram chamado de Abelios. Tertuliano, escreveu, no final do século II e início do III d.C., que Abelio seria o mesmo deus que Belenos.

Provavelmente, Abelio deva ter sido uma divindade solar, como Apolo – o que pode ter levado os romanos a associar essa divindade ao Apolo de Creta.

Abnoba

A deusa das matas e dos rios Abnoba era cultuada na região da Floresta Negra, no sudoeste da Alemanha, não muito distante da fronteira com a França (a antiga Gália). Foram descobertas nove inscrições. Em duas delas, um altar encontrado nas termas romanas em Badenweiler e em um outro em Mühlenbach, Abnoba é relacionada a Diana, a deusa romana da caçada que, por sua vez, corresponde à deusa grega Ártemis.

Segundo Plínio, o Velho, que escreveu no século I a.C., Abnoba é a nascente do rio Danúbio – o que poderia levar a crer que Abnoba seria uma divindade dessa nascente, semelhante às ninfas gregas. Contudo, alguns pesquisadores observam que Plínio poderia ter confundido o Reno e seus afluentes com o Danúbio.

Embora a etimologia do nome dessa deusa seja incerta, um de seus elementos significaria "água, rio", o que poderia confirmar que Abnoba era uma deusa relacionada às fontes, além de seu atributo como caçadora.

Wikicommons

Altar à Diana Abnoba em Badenweiler, Alemanha.

Alisanos, Alisanus

Deus cultuado na atual região de Côte-d'Or e em Aix-en-Provence, na França. Há pelo menos duas inscrições dedicadas a esse deus, escritas na língua gaulesa. São epígrafes oferecidas em agradecimento ou reconhecimento pelas graças recebidas do deus, semelhantes às que os católicos devotam aos seus santos por pedidos atendidos. Numa delas, lê-se: "Doiros (filho) de Segomaros dedicou (este) a Alisanos", enquanto a outra registra que "Paullinus cumpriu livre e merecidamente sua promessa ao deus Alisanus em nome de seu filho Contedius". O nome "Alisanos" indica que esse deus era um deus da montanha.

Alounos, Alaunos (Alaunus), Alâunios (Alaunius)

Deus gaulês do sol, de cura e de profecia – o que o relacionaria ao Apolo greco-romano. No entanto, em uma inscrição encontrada em Mannheim, na Alemanha, Alounos aparece como um epíteto de Mercúrio, o equivalente romano ao deus grego Hermes, o mensageiro dos deuses, deus do comércio e dos ladrões, entre outras atribuições.

Entre outras hipóteses, o nome pode significar "melodioso, harmonioso", ou, de acordo com outra corrente, pode ter o sentido de "rico, opulento, fecundo etc."

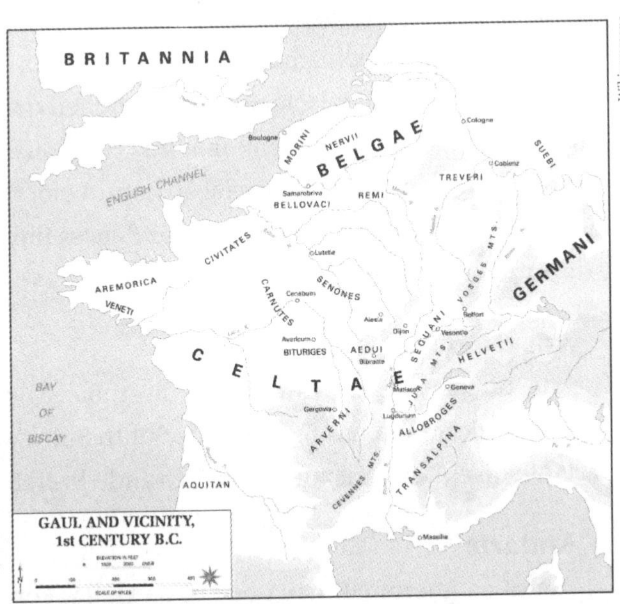

Wikicommons

Mapa das tribos celtas do Norte da França, oeste da Alemanha e sul da Inglaterra que cultuavam os deuses romanizados ou registrados em inscrições galo-romanas.

Ambísagro, Ambisagrus

Deus gaulês cultuado na Aquileia, na Gália Cisalpina, identificado com Júpiter, o deus romano da luz, correspondente ao grego Zeus, em seu caráter de *Jupiter Optimus Maximus*, isto é, sua mais poderosa expressão.

Ancamna

Deusa cultuada no vale do rio Mosela, na fronteira entre a França e a Alemanha. Era uma das consortes de Lenus ou de Esmertulitano, deuses gauleses relacionados ao romano Marte, deus da guerra. Na região de Tréveris foram erguidos altares em honra a Marte, Lenus e Ancamna, sugerindo que essas divindades eram protetoras tribais que tinham cultos organizados. Um achado arqueológico, porém, indica que, ao menos em Luxemburgo, a esposa de Lenus aparece como a deusa Inciona. Contudo, não parece haver qualquer conexão entre Inciona e Ancamna. Provavelmente, Ancamna era uma deusa das fontes e nascentes.

Ancasta

Deusa cultuada na província romana da Britânia conhecida de uma única inscrição dedicatória encontrada em Bitterne, Inglaterra. Como outras inscrições votivas, um fiel a agradece por uma graça alcançada e dedica uma placa comemorativa à deusa. Trata-se de uma divindade local, provavelmente relacionada ao rio Itchen que corre nas vizinhanças da cidade. O nome contém uma raiz relacionada à palavra "ligeiro" – indício que corrobora sua relação com o rio, tornando-a, possivelmente, uma divindade semelhante aos deuses fluviais gregos, indianos e de outras mitologias.

Anextiomarus

Anextiomarus é um título celta de Apolo. O nome foi descoberto numa inscrição romana-britânica de South Shields, Inglaterra, e é uma variante do epíteto Anextlomarus, "Grande Protetor".

Andarta

Deusa da guerra cultuada no sul da Gália. Foram encontradas inscrições dedicadas a ela em diversas localidades, tanto na Suíça como na França, indicando que a difusão de seu culto abrangia uma região considerável. De acordo com Dião Cássio, autor romano que escreveu entre o final do século II e o começo do III d.C., Andarta se relacionava à deusa Andate, identificada com deusa Victoria, cultuada na Britânia romana, que, por sua vez, teria atributos semelhantes à deusa grega Nike. Do mesmo modo que a deusa guerreira Artio, seu animal era o urso.

Artio

Dea Artio, como era chamada entre os fiéis galo-romanos, era uma antiga deusa celta relacionada ao culto do urso, praticado em diversas regiões da Europa, da Trácia à Escandinávia, desde o período Paleolítico. Com efeito, o urso foi um importante animal totêmico e, como diversos animais, o deus urso era adorado pelas culturas caçadoras.

Há diversas evidências do culto da deusa Artio encontradas especialmente em Berna, na Suíça. Uma escultura em bronze de Muri, próximo a essa cidade, mostra um urso grande face a face com uma mulher sentada em uma cadeira, com uma pequena árvore atrás do urso. A mulher parece segurar um fruto no colo, talvez alimentando o urso. Na base da escultura há uma inscrição votiva, onde se lê: "À Deusa Artio, de Licinia Sabinilla".

O nome dessa deusa deriva da palavra gaulesa "artos", isto é, "urso", assim como um dos mais famosos reis celtas do período romano-britânico: Artur.

Arvernus

Título do Mercúrio, padroeiro dos arvernos, tribo gaulesa da região noroeste da atual França, famosa por ter lutado contra Júlio César. Havia no território dos arvernos um importante santuário a esse deus, que também era conhecido como Arvernorix, isto é, "rei dos arvernos".

Atepômaro, Atepomarus

Deus da cura também associado a Apolo pela população galo-romana. Algumas inscrições sobreviventes do período de ocupação da Gália pelos romanos, quando a fusão dos dois povos deu origem à cultura galo-romana, referem-se a esse deus como Apolo Atepomarus.

Em alguns dos santuários de Atepomarus, onde os fiéis iam rezar pela cura de suas doenças, foram encontradas pequenas estatuetas de cavalos, os quais eram associados ao deus. De fato, a raiz "epo" se refere à palavra "cavalo", como no nome da deusa Épona. Com efeito, um dos epítetos conhecidos de Atepomarus é "Grande Cavaleiro".

Aufânias, Aufaniae

As Aufaniae eram as deusas mães cultuadas por toda a Europa celta, do Reno à Irlanda. No entanto, apesar da importância dessas divindades, há pouca informação sobre elas. São conhecidas apenas por inscrições simbólicas encontradas principalmente na região alemã do rio Reno.

Aveta

Aveta, chamada pelos romanos de Dea Aveta, era uma deusa mãe também associada à primavera. Em Toulon-sur-Allier, na França, e em Trier, na atual Alemanha, foram encontradas estatuetas de Aveta nas quais a deusa é retratada com crianças no peito, filhotes de cães ou cestas de frutas – enfatizando seu caráter maternal. Em Trier havia um templo dedicado à Aveta.

Wikicommons/ Owen Cook

Réplica de uma estatueta de Aveta, ou de uma deusa mãe semelhante.

Banshee

A banshee, de ban [bean], e shee [sidhe], mulher, é uma fada que segue os velhos clãs gaélicos e cujo choro se faz ouvir da morte de algum membro dessas antigas famílias. Os camponeses dizem que o *keen*, o compungido lamento com o qual as carpideiras do interior da Irlanda tradicionalmente enchem os funerais do interior do país é uma imitação do choro da banshee. Quando se ouve o lamento de mais de uma dessas prenunciadoras da morte, é sinal de que chegou a hora de um santo ou de um grande homem. Às vezes, as banshees acompanham a *coach-a-bower*, uma enorme carruagem negra, com um caixão no alto, puxada por cavalos sem cabeça e tendo um *dullahan* como cocheiro.

Beleno, Belenos, Belenus

Um dos principais deuses celtas, cultuado na Gália, Britânia e nas regiões célticas da Áustria e Espanha, com templos espalhados desde o nordeste da Itália até a Inglaterra. Era um deus solar, semelhante ao Apolo greco-romano. Embora a etimologia do nome seja obscura, os estudiosos sugerem que signifique "o único luminoso".

Beleno, porém, não era o único deus dos celtas que os invasores romanos relacionavam a Apolo, sendo incorporados ao nome desse deus estrangeiro na forma de epítetos. Os principais deuses galo-romanos ou brito-romanos relacionados a Apolo eram Grano, Brovo, Mapono e Moristago.

Em algumas das imagens descobertas desse deus, Beleno é representado acompanhado de uma mulher, provavelmente a deusa Belisama.

Vaso votivo dedicado a Beleno, exposto no Museu de História de Marselha, um dos maiores museus de história da França e da Europa.

Wikicommons/ Rvalette

Os estudos etimológicos indicam que o festival de Beltane, celebrado na Escócia, Inglaterra e Irlanda, pode estar conectado a Beleno, uma vez que deriva da mesma raiz celta "bel", isto é, "brilhante".

Belisama

Deusa ligada aos lagos e rios, ao fogo, às artes e à luz, cultuada na Gália e na Britânia. Os invasores romanos a identificaram com a sua Minerva, que, por sua vez, corresponde à Atena grega. Era a consorte de Beleno e está relacionada a outra importante deusa gaulesa, Brígida. Belisama significaria "luminosidade do verão".

Bricta, Brixta

Deusa gaulesa que era uma consorte do deus aquático Luxóvio. Para alguns pesquisadores, Bricta pode ser um título atribuído à deusa Sirona. Desse modo, segundo essa corrente, Bricta não seria uma deusa separada, mas um epíteto de Sirona. Em termos etimológicos, o nome "Bricta" deriva do gaulês "brixtom" ou "brixta", que quer dizer "mágica".

Brígida, Brighid, Brigid, Brigit

Uma das mais populares e conhecidas deusas celtas, divindade da terra, do fogo e das fontes cultuada em todo o mundo céltico, especialmente na Irlanda, que ainda conserva informações importantes a seu respeito. Era, de fato, uma deusa tríplice, que incorporava os aspectos da poetisa, da médica e da ferreira, sendo, portanto, uma deusa civilizatória comparável à Atena grega. Era, por conta desses aspectos relacionados ao fogo, chamada de deusa da Tríplice Chama. Por ser a provedora do "Fogo da Inspiração" e por conta da sua conexão com as macieiras e carvalhos, Brigid era a Padroeira dos Druidas. Com esse atributo, era chamada de "Deusa dos Bardos", correspondendo às musas gregas que inspiram os homens.

O festival dessa deusa ainda é celebrado em ou por volta do dia 1 de fevereiro, o meio do inverno no hemisfério Norte. Nessa época do ano, Brigid personifica uma noiva, aspecto de virgem ou donzela e é a protetora das mulheres que estão grávidas.

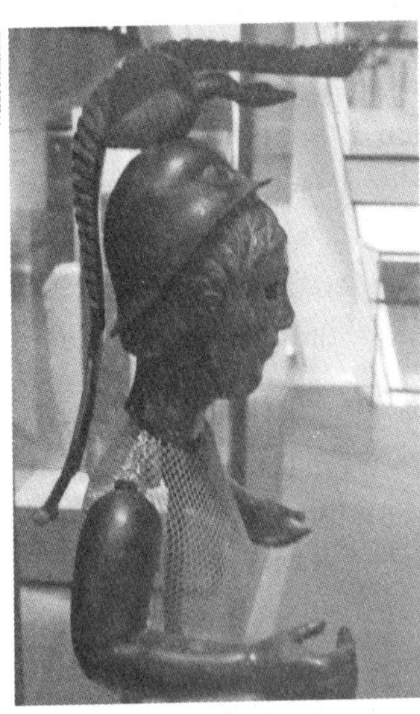

Wikicommons

Estatueta de deusa celta, provavelmente Brígida, caracterizada com os atributos da deusa civilizatória romana Minerva (século I d.C.).

Brigit era filha do deus supremo Dagda e um dos Tuatha Dé Danann. Ela era esposa de Bres, rei dos Tuatha Dé Danann, com quem teve um filho, Ruadán. Seu nome significa Flecha de Fogo. Os quatro animais a ela relacionados eram a cobra, a vaca, o lobo e o abutre.

Com o advento do Cristianismo, a deusa Brigid foi incorporada nos aspectos de Santa Brígida, representada com um manto verde e cabelos loiros – uma evocação ao fogo –, traços marcantes encontrados nas imagens da deusa original.

Buxeno, Buxenos, Buxenus

Buxenus era um dos epítetos que o deus romano Marte recebeu na Gália, associando-se, desse modo, a um deus local desconhecido. De fato, Buxeno aparece apenas em uma única inscrição encontrada na região de Avignon, na atual França.

Camulos, Camulus

Outro deus guerreiro celta que os romanos identificaram com Marte. Cultuado na Grã-Bretanha, na Gália e na Hispânia, como os romanos chamavam a atual Espanha e Portugal, aparece em inscrições da época da ocupação de Roma nessas regiões como Marte-Camulos. Em algumas de suas representações era retratado com uma cabeça de carneiro.

Cernuno, Cernunnos

Uma das principais divindades celtas, o "deus cornudo", associado às florestas e à natureza, tido como o "Senhor dos Animais" ou o "Senhor das Coisas Selvagens", deus pacífico da natureza, da virilidade e da fertilidade, também era associado ao bem-estar material. O deus cornudo também remete às estações do ano – um ciclo anual da vida – e, desse modo, também à morte e ao renascimento.

Os baixos-relevos de Cernuno que foram descobertos no mundo celta-romano o associam a diversas divindades de Roma, Júpiter, Vulcano, Castor e Pólux. Do mesmo modo, é vinculado a outros deuses gauleses, como Esus, Smertrios e Tarvos Trigaranus. Entre os celtiberos, as tribos celtas da Ibéria, Cernuno era representado com dois rostos e dois pequenos chifres, símbolos de força, vigor e fecundidade.

A melhor imagem conhecida aparece no caldeirão Gundestrup, do século I a.C., encontrado na Jutlândia. Como outros importantes

A figura de tipo "Cernuno" no caldeirão Gundestrup (coleção do Nationalmuseet, Dinamarca).

Wikicommons/ Roberto Fortuna og Kira Ursem

O belíssimo caldeirão de Gundestrup, encontrado na Jutlândia, Dinamarca (coleção do Nationalmuseet).

deuses celtas, Cernuno pode ter sido incorporado ao Cristianismo. Assim, seus atributos foram incorporados por São Ciarán de Saighir, um dos Doze Apóstolos da Irlanda. Ainda hoje, em diversas vertentes do neopaganismo, o deus cornudo é reverenciado.

Cicoluis, Cicollus, Cicollui, Cichol

Cicoluis é outro deus cultuado em grande parte do mundo celta, da Gália à Irlanda. Em gaulês, seu nome significa algo como "Grande-com peito", uma referência à sua força. Por conta disto, na religião galo-romana, Cicoluis é um dos epítetos do deus da guerra de Roma, Marte. Em algumas inscrições votivas, Cicoluis tem como consorte Belona, personificação romana da guerra.

Com relação à mitologia irlandesa, Cicoluis também pode ser identificado como Cichol ou Cíocal Gricenchos, o líder mais primitivo dos Fomorianos. De acordo com o ciclo irlandês, Cichol chegou àquela ilha com cinquenta homens e cinquenta mulheres, cem anos depois da grande inundação – uma possível referência ao dilúvio bíblico. Após se estabelecerem na Irlanda e viverem em paz durante seis ou sete gerações, foram derrotados pelos partolonianos, povo que deriva seu nome do líder Partholón.

Ceridwen, Cerridwen, Kerridwen

Deusa da morte e da fertilidade, os ecos mais audíveis sobre Ceridwen vêm do País de Gales, que melhor preservou suas lendas. Era

Ceridwen (1910), por Christopher Williams.

uma feiticeira, mãe do poeta Taliesin e de Morfran, um dos cavaleiros do rei Artur, na tradição galesa. De acordo com o mito, Morfran era terrivelmente feio, e, para compensar, Ceridwen quis torná-lo sábio. Ela tinha um caldeirão mágico onde preparou uma poção que dava a sabedoria a quem dela tomasse. Contudo, apenas as três primeiras gotas da poção preparada por um ano e um dia davam sabedoria. O resto era um veneno letal. Mas as três primeiras gotas caíram nas mãos do menino encarregado de mexer a poção, Gwion, e, como estavam quentes, o garoto levou a mão à boca para aliviar a dor e instantaneamente ficou sábio.

Enfurecida por ter perdido todo o trabalho empregado na preparação da poção, Ceridwen quis se vingar do menino. Depois de perseguir Gwion, transformando-se, ele e ela, em diversos animais para atacar e fugir, com Ceridwen metamorfoseando-se sempre no animal mais agressivo, conseguiu alcançá-lo quando ele se transformou num grão de milho e a feiticeira o comeu depois de virar uma galinha. Ceridwen ficou, então, grávida. Sabendo que era Gwion, resolveu que iria matar a criança ao nascer. No entanto, quando o menino nasceu, era tão bonito que ela não conseguiu dar fim a ele. Tampouco ficou com a criança: ela a jogou no mar dentro de um saco de pele de foca. A criança não morreu e foi resgatada numa praia britânica por um príncipe celta chamado

Elffin. A criança conservou o talento de Gwion e, quando adulta, veio a ser o bardo Taliesin.

No neopaganismo, Ceridwen e seu caldeirão simbolizam o princípio feminino.

Cluricaun

O Cluricaun, representado como um velho ansioso para se divertir por meio de outros, é muito parecido com o leprecau. No entanto, em lugar de trabalhar, ele prefere se embebedar. Por isso, dizem os camponeses irlandeses, ele é sempre encontrado nas adegas das casas. O Cluricaun aparece apenas em histórias do sul da Irlanda e é praticamente desconhecido no Ulster.

Cocidius

Divindade cultuada no sul da província da Britânia, relacionada pelos romanos a Marte e a Silvano, deus das florestas, dos arvoredos e dos campos selvagens, chamada pelos gregos de Pan. Além de ser adorado pelas tribos bretãs, Cocidius tinha grande número de fiéis entre os soldados romanos de baixa patente.

O nome pode estar relacionado à palavra bretã "vermelho", mas é mais provável que esta interpretação seja apenas uma versão latina da palavra "bosque" ou "floresta" – o que faz mais sentido, em se tratando de um deus dos bosques como Silvano.

Havia um templo dedicado a Fanum Cocidius na Inglaterra romana. Além disso, são conhecidas diversas inscrições dedicadas a esse deus. Uma delas se refere a ele como Cocidius Vernostonus, isto é, Cocidius do amieiro. De fato, um dos aspectos mais importantes da religião dos celtas se refere ao culto das árvores.

No Muro de Adriano, que separava a Inglaterra romana do país dos pictos (uma das etnias escocesas de então), há uma das pelo menos nove representações conhecidas de Cocidius, como cerca de 25 inscrições dedicadas a ele.

Condatis

A divindade aquática Condatis, cujo nome significa "encontro de corpos d´água", era cultuada na Britânia e, em menor grau, também na Gália. Esse deus era associado às confluências de rios, especialmente a do Tyne com o Tees, no Norte da Inglaterra. Propiciava a cura e, apesar desses aspectos, foi associado pelos romanos com Marte, o qual, por ser o deus da guerra dos soldados invasores, relacionava-se com a proteção.

Damona

Deusa cultuada na Gália como consorte, ora de Apolo Borvo ora de Apolo Moritasgo, dois deuses associados pelos romanos ao deus Apolo e que passaram, por isso, a ser epítetos dessa divindade. Contudo, apesar das semelhanças, os deuses celtas não eram exatamente iguais às suas possíveis contrapartidas romanas, tendo características particulares que remetem à sua cultura original.

Damona é uma deusa da fertilidade e abundância, atributos associados à vaca. Seu nome poderia, de acordo com alguns autores, ser interpretado como "Vaca Divina". Às vezes é relacionada à deusa irlandesa Boand, a qual possui os mesmos atributos. Em alguns locais da Gália, Damona era a patrona da primavera quente.

Dullahans, Durahan, Gan Ceann

Os dullahans são fantasmas sem cabeça, entidades que povoam as lendas e as crônicas da Irlanda. Uma dessas histórias dá conta de que, em 1807, dois sentinelas estacionados nas cercanias do Parque Saint James morreram de pavor, pois o lugar era assombrado por uma dullahan. Os moradores do local sabiam que toda meia-noite uma mulher nua da cintura para cima e sem cabeça passeava pelo parque. O caso parece ter sido levado a sério, pois as sentinelas passaram a ser colocadas em outro local. Os dullahans remontam a um antigo costume nórdico levado, provavelmente para a Irlanda, pelos invasores vikings. Era comum entre os escandinavos decepar a cabeça dos cadáveres, para enfraquecer seus fantasmas.

Wikicommons

Epona, ladeada por dois cavalos, sentada e segurando um cesto de frutos (Museu Histórico de Berna, Suíça) (c. de 200 a.C.).

Epona

Deusa da fertilidade, protetora dos cavalos, burros e mulas. Com efeito, seu nome significa "Grande Égua". Era representada com cornucópias, um símbolo da abundância, orelhas em forma de grãos de cereal e cercada de potros. Alguns autores acreditam que a deusa e seus cavalos conduziam as almas dos mortais depois da vida terrena. Ao contrário das outras divindades celtas, Epona era a única divindade céltica cultuada na própria Roma. Nessa cidade, sua festa era celebrada com um banquete em 18 de dezembro e era invocada no culto imperial, instituído por Augusto no primeiro século d.C., como Epona Augusta ou Epona Regina.

De fato, o culto a essa deusa celta acabou se difundindo em todo o Império Romano, sendo instituído entre diferentes povos. Uma inscrição dedicada a Epona de Mainz, Alemanha, identifica o devoto como sírio.

Alguns mitólogos associam Epona à deusa grega Deméter, deusa dos grãos e da terra cultivada, correspondente à Ceres romana. De fato, no período arcaico, Deméter era venerada como uma égua.

Alegoria da Cornucópia, semelhante à de Epona, do gravurista Cesare Rippa (1555 – 1622).

Wikicommons

Esmértrio, Smertrius, Smertrios

Outro deus da guerra gaulês, cultuado também na província romana de Nórica, correspondente hoje a áreas da Áustria e da Baviera (Alemanha). É um dos deuses gauleses retratados no importante Pilar dos Marinheiros, descoberto em Paris, onde aparece como homem barbudo confrontando uma cobra que se ergue à sua frente com uma clava. A semelhança da figura ao semideus Hércules dos romanos levou alguns a associarem Esmértrio a esse herói.

Wikicommons

Esmétrios no Pilar dos Marinheiros (Museu Nacional da Idade Média, na França).

Esus, Hesus

O deus gaulês Esus é conhecido apenas por conta de duas estátuas. É uma única menção feita pelo poeta romano nascido na

Esus no Pilar dos Marinheiros, que retrata alguns deuses galo-romanos (Museu Nacional da Idade Média, na França).

Hispânia, Marco Aneu Lucano (39 – 65 d.C.). Nessas duas estátuas, Esus aparece cortando ramos de árvores com seu machado. Numa delas, o Pilar dos Marinheiros, é retratado juntamente com os deuses romanos Júpiter, Vulcano e Tarvos Trigaranus – o touro com três grous, uma figura divina que aparece apenas neste importante baixo-relevo.

Em seu livro *Farsália*, Lucano menciona os sacrifícios de sangue realizados em louvor à tríade de deuses celtas: Tutátis, Esus e Taranis. As vítimas humanas sacrificadas para Esus eram amarradas a uma árvore e espancadas até a morte.

Uma citação feita no livro *De medicamentis,* um compêndio farmacológico do médico gaulês Marcellus de Bordeaux, escrito na virada dos séculos IV e V d.C., descreve um talismã mágico usado no processo de cura pelos médicos galo-romanos, empregado para invocar o auxílio de Esus na cura de problema de garganta.

Fagus

Fagus foi um deus celta relacionado, provavelmente, à vegetação. As únicas referências sobre essa divindade são quatro inscrições encontradas nos Pireneus, a cadeia de montanhas que separa a Espanha da França. Fagus, em latim, significa faia. Apesar da pouca informação a respeito desse deus, pode-se relacioná-lo ao culto das árvores, central na religião celta.

Far Darrig

O Far Darrig, isto é, "Homem Vermelho", é a versão irlandesa do gnomo dos germânicos e escandinavos. Ele tem esse nome por conta do gorro vermelho que usa. A única ocupação do Far Darrig é a diversão, que consegue, principalmente, importunando os humanos.

Fear Gorta

O Fear Gorta, "Homem da Fome", é uma fada solitária que percorre os campos na época de escassez, quando a fome grassava através dos campos e das casas. Nessas ocasiões, o fear gorta costumava andar pelas estradas, personificado num mendigo, pedindo esmola. Quem se apiedasse dele e lhe desse alguma coisa garantiria boa sorte.

Gebrínio (Gebrinius), Mercúrio Gebrínio (Mercurius Gebrinius)

Deus celta associado ao Mercúrio romano. Um altar encontrado em Bonn, na Alemanha, é dedicado a "Mercúrio Gebrínio". Como em outros casos, alguma semelhança da divindade local que espelha atributos de Mercúrio passa a servir de epíteto ao deus romano, transmitindo alguma indicação sobre os poderes da deidade que empresta seu nome.

Grano, Grannus, Grano Moguno Amarcolitano (Granus Mogounus Amarcolitanus)

Como muitos deuses celtas, Grano era associado às fontes, nascentes, especialmente às termais. Por conta das águas quentes sobre as quais exercia seu poder, Grano também era tido como uma divindade solar e, como tal, identificado com Apolo. De fato, um dos epítetos do deus greco-romano no Norte da Gália, um de seus centros de culto, era Apolo Grano. Também aparece com o título de Marte.

Seu culto se estendia desde o Reno até a Escócia e da Suécia à Espanha. Havia um famoso santuário ao deus chamado Águas de Grano, onde hoje fica a cidade de Aachen, na Alemanha. Na verdade, o próprio nome da cidade é um resquício desse centro de culto, uma vez que Aachen significa "água" e ainda hoje as nascentes quentes do povoado, com temperaturas entre 45°C e 75°C, podem ser visitadas.

Uma inscrição latina do primeiro século a.C. encontrada em Limoges, na Gália, menciona um festival de dez noites realizado em honra a Grano. Trata-se de uma inscrição votiva, na qual se lê: "Vergobretus Postumus, filho de Dumnorix, deu de seu próprio dinheiro às Águas de Março para [*patrocinar*] o festival de dez noites de Grano".

Ialonus Contrebis, Lalonus, Gontrebis

Não se sabe ao certo se Ialonus Contrebis era um único deus ou dois deuses relacionados. Seus principais centros de culto eram na região do atual condado de Lancashire, na Inglaterra, e na Provença, na França. Numa inscrição votiva descoberta em Lancaster, é referido como o "deus mais sagrado Ialonus Contre[bis]"); em outra, em Overborough, como *Deo San Gontrebi* ("ao sagrado deus Gontrebis").

O nome Contrebis pode, possivelmente, conter uma raiz relacionada à palavra protocelta "casa", enquanto Ialonus pode ser relacionado à "clareira" – local sagrado na religião celta.

Icaunis

Deusa do rio Yonne, na Gália, conhecida por uma única inscrição, encontrada em Auxerre, na Borgonha, França.

Icovelauna, Icovellauna

Icovelauna era cultuada na Gália, especialmente num templo octogonal construído sobre uma nascente, onde havia uma escada em espiral que descia até o nível d´água, permitindo aos devotos deixar oferendas ou recolher a água sagrada. Era, portanto, uma deusa das águas, especialmente das termas ("ico" em gaulês é "água"), como a Iemanjá brasileira.

Wikicommons

Placa votiva dedicada a Inciona, atualmente no Museu Nacional de História da Arte, em Luxemburgo.

Inciona

Outra deusa celta obscura conhecida da região treverana, Inciona é conhecida apenas devido a duas inscrições votivas encontradas em Luxemburgo.

Na primeira delas, Inciona é invocada junto com o deus Veraudunus – outra divindade celta pouco conhecida – e em honra da família imperial no cumprimento de um voto feito por Alpinia Lucana, mãe de Marcus Pl(autius?) Restitutus.

A segunda inscrição, feita sobre uma placa bronze, também invoca essa deusa juntamente com Lenus Marte Veraudunus.

Intarabo, Intarabus

Deus do panteão da tribo gaulesa dos tréveros, habitantes do nordeste da França, e de alguns povos vizinhos. Evidências de seu culto foram descobertas na Bélgica, Luxemburgo, Alemanha e França.

Wikicommons

Estatueta de bronze de Intarabo de Foy-Noville no Museu Arqueológico de Arlon, cidade belga.

As inscrições galo-romanas referentes a esse deus demonstram, na maioria dos casos, que Intarabo era invocado sozinho e, portanto, sem qualquer referência às divindades romanas. Numa estatueta de bronze, Intarabo é representando sem barba, com cabelos longos, vestindo uma túnica e envolto numa pele de lobo.

Embora o nome Intarabo seja etimologicamente obscuro, ao menos um etimólogo, Xavier Delamarre propõe que esse nome signifique "entre rios".

Iouga

Iouga é o nome provável de uma deusa cultuada na província romana da Britânia, conhecida de uma única inscrição fragmentada feita sobre uma pedra de altar em York. O nome aparece como Ioug[...] or Iou[...] na pedra danificada. O texto provável é o seguinte:

Para a numina do(s) Imperadore(s) e à deusa Iou[..], [..]sius (construída/restaurada) uma (meia?) parte de um templo.

A placa votiva caracteriza bem o sincretismo celto-romano, uma vez que combina elementos da religião celta com entidades romanas. Isso fica claro por conta da referência aos numina (singular numen), entidades ou forças sobrenaturais que viviam na natureza ou que estavam ligadas às atividades humanas, semelhantes, grosso modo, aos daimons gregos.

Lendo o nome fragmentário como Ioug[...], o etimólogo Roger Wright propôs a forma reconstruída Iouga, que significa "jugo". Outra pesquisadora, Theresia Pantzer, entendeu, porém, que o que Wright tinha percebido como vestígios de uma letra "g" foi meramente o desgaste da pedra sobre a qual a inscrição foi feita.

Iovantucaro, Iovantucarus

Embora associado ao deus da guerra romano Marte, ou, em alguns casos a Mercúrio, Iovantucaro era um deus celta da cura que possuía um santuário em Tréveris, cidade histórica alemã. De acordo com descobertas arqueológicas, o templo era visitado por peregrinos que levavam ao local imagens de criança, retratadas frequentemente segurando tanto pássaros de estimação quanto oferendas ao deus. Aparentemente, Iovantucaro era um protetor da infância e da juventude.

Leanhaum-Shee, Leanan-Sidhe, Leanhaun-Shee, Leanhaun-Sidhe, Lhiannan Shee

A Leanhaum-shee, que poderia ser traduzido como mulher-encantada, é uma fada solitária que busca o amor dos mortais. Se eles recusam sua oferta, ela se torna escrava deles. Se, porém, eles cedem à sedução da leanhaun Shee, tornam-se escravos da mulher-encantada e só podem escapar se conseguirem algum outro homem que fique no seu lugar. Nem mesmo a morte permite que os amantes-escravos da Leanhaun-shee escapem, pois ela continua a exercer domínio sobre suas almas. A fada consome suas vidas, exaurindo-os. No entanto, os amantes gozam da luxúria que a Leanhaun-shee lhes proporciona. Além disso, ela é uma espécie de versão gaélica das musas, uma vez que inspira aqueles a quem persegue. Segundo os antigos, os poetas morrem jovens justamente porque a ciumenta Leanhaun-shee não deixa que eles vivam muito tempo nesse mundo.

Leno, Lenus

Leno era um deus de cura cultuado principalmente na Gália oriental, onde era quase sempre identificado com Marte. Foi uma divindade importante dos tréveros, com grandes templos erguidos em nascentes de rios.

Wikicommons/ Hannibal21

Estátua de Leno Marte num templo reconstituído, em Martberg, na Alemanha.

Em seu livro *Roman Trier and the Treveri,* a arqueóloga escocesa e professora da MacMaster University, em Ontario, Canadá, Edith Wightman, afirma que Lenus nos dá "um dos melhores exemplos de um Teutates, ou deus do povo, igualado a Marte – protetor da tribo na batalha, mas também [...] concessor de saúde e de boa fortuna geral".

Wightman, que foi encontrada assassinada por sufocamento em seu escritório, na universidade, em 1983, afirmava também que o santuário de Leno, chamado Am Irminenwingert, em Trier, tinha um grande templo, banhos, capelas e até um teatro. A arqueóloga descreve outro complexo, em Martberg, que, além de uma grande "variedade de prédios", provavelmente incluía cômodos para peregrinos procurando saúde para estadia.

A despeito de suas associações com a cura, Lenus Marte é representado como um guerreiro de capacete coríntio em uma estatueta de bronze de Martberg.

Seu nome aparece mais frequentemente nas inscrições como "Lenus Marte" ou "Marte Lenus". No santuário de Trier, Lenus Marte aparece associado às deusas Ancamna, Vitória e Xulsigiae. Em outra inscrição encontrada em Luxemburgo, Lenus Marte é invocado junto à deusa céltica Inciona.

Lenus, porém, não era o único deus céltico identificado com Marte em seus atributos de proteção na guerra, saúde e prosperidade pelos tréveros. Iovantucarus, Intarabus, Camulos, e Loucetios também foram identificados com Marte pelos romanos e, por extensão, com Lenus.

Leprecau

O Leprecau é o sapateiro, do irlandês "leith brog", isto é, "sapateiro de um sapato", pois ele sempre é visto trabalhando em um único sapato. Sua figura é a de um velho vestido de verde, invariavelmente disposto a pregar uma peça em quem quer que seja. Trabalhador e sovina, acumulou um tesouro que esconde no final do arco-íris.

Lero

Lero é um deus gaulês obscuro, invocado lado a lado da deusa Lerina como o espírito que empresta seu nome às ilhas Lérins, na Provença. Nada mais se sabe sobre este deus além das dedicatórias votivas em sua homenagem.

Letavis, Litauia, Litaui, Litauis

Deusa cultuada na Gália, invocada, segundo inscrições descobertas contendo seu nome, era invocada junto com o deus Marte Cicolluis. Os pesquisadores acreditam que Litavis era consorte desse deus.

Os etimólogos entendem que o nome "Letavia" ou "Litauia" pode significar "vasto" e a comparam a uma deusa telúrica védica. Desse modo, os estudiosos sugerem que Letavis é uma deusa mãe ou terrestre.

Leucécio, Leucetius, Loucetios

Outro deus gaulês identificado com o Marte romano. Foram encontradas cerca de 12 inscrições em sua honra, principalmente da Gália oriental, em particular entre os vangiones, uma tribo celta da região do rio Reno, e também na Inglaterra. Nas placas votivas que o homenageiam, Marte Loucetios é quase sempre invocado junto à deusa Nemetona.

O nome Loucetios pode ser derivado da palavra "leuk", que significa "brilho". Isso levou alguns pesquisadores a traduzir o nome Loucetius como "aquele que traz a luz", um epíteto de Júpiter.

Luxóvio, Luxoviu, Luxovios

Deus das águas, divindade local da cidade de Luxóvio, atual Luxeuil-les-Bains, no Nordeste da França. O deus Luxóvio era consorte de Bricta. O santuário de Luxóvio era construído sobre uma nascente termal, onde foram encontradas evidências de culto a outras divindades, inclusive do cavaleiro-do-céu, que carrega uma roda solar, e Sirona, outra deusa associada às fontes termais.

O nome Luxóvios pode indicar que essa divindade é um deus tanto da luz como das águas termais usadas nos processos de cura – dois elementos inexoravelmente ligados na cosmologia celta.

A vigília da Valquíria, do pré-rafaelita Edward Robert Hughes: as Dísir nórdicas, como as Valquírias, assemelhavam-se às Matres celtas.

Matres

O nome dessas divindades femininas veneradas no noroeste da Europa é claramente latino, embora sua origem seja céltica. Foram encontradas mais de mil placas votivas dedicas às deusas. Seu culto também se estendia até à província da Germânia, onde eram relacionadas às divindades do destino Dísir, como as Valquírias, e às Nornes – contrapartida nórdica das Moiras gregas.

Moritasgo, Moritasgus

Título de um deus celta da cura encontrado em quatro inscrições votivas na Alésia, um ópido – como os romanos chamavam a principal povoação de uma região – da confederação de tribos gaulesas dos mandúbios, que habitavam a região da atual Borgonha. Em duas dessas inscrições aparece relacionado ao deus greco-romano Apolo. Sua consorte era a deusa Damona.

Uma dedicatória ao deus refere-se a um grande santuário, um complexo com banhos e um templo, erigido sobre uma nascente tida como sagrada, onde peregrinos doentes iam banhar-se numa piscina construída para esse fim. Sob os pórticos, os doentes dormiam para receberem visões e curas divinas.

Nesse santuário, foram encontrados diversos ex-votos, como os que os católicos deixam em suas igrejas – outro indício de que, com o advento do Cristianismo, muitas práticas e divindades da religião galo-romana foram incorporadas aos ritos e práticas da nova crença. Os ex-votos descobertos eram modelos das partes doentes dos corpos, como membros, órgãos internos, genitais e olhos, bem como figurinos dos próprios peregrinos. No santuário, também foram encontrados instrumentos cirúrgicos, o que sugere que os sacerdotes eram também médicos.

De acordo com Xavier Delamarre, autor do *Dictionnaire de la langue gauloise*, Moritasgo provavelmente significa "texugo grande" ou "texugo do mar", uma possível referência a uma secreção produzida por esse animal que era usada pelos gauleses para produzir medicamentos.

Mullo

Outro deus gaulês associado ao deus Marte com o epíteto Marte Mullo. A palavra "mullo" pode indicar uma relação com cavalos ou mulas. O templo circular dedicado a Marte Mullo era situado próximo a uma confluência de dois rios. Em Nantes, na região oeste da França, havia outro importante centro de culto, onde um culto público oficial era realizado. A julgar pelos ex-votos encontrados nesses locais, Mullo era invocado para aliviar, principalmente, problemas oculares.

Naria

De acordo com as descobertas arqueológicas, a deusa Naria era venerada apenas no que agora é a parte ocidental da Suíça. Embora tenha sido

Wikicommons/ Hannibal21

Naria, numa das estatuetas romanas do grupo Muri, de 1832 (coleção do Museu Histórico de Berna, na Suíça).

encontrada uma estatueta que representa Naria, há apenas duas inscrições referentes a essa deusa. Desse modo, sua natureza e seus atributos permanecem obscuros.

Nemauso, Nemausos, Nemausus

O deus gaulês Nemauso, padroeiro da cidade de mesmo nome, atual Nîmes, na França, parece não ter sido cultuado apenas nesse local, onde havia um bosque sagrado no qual a tribo dos volcas arecômicos realizava suas assembleias. Na cidade de Neumaso havia um importante santuário de primavera e de cura. As deusas da cura e fertilidade Matres, chamadas nessa cidade de Matres Nemausicae, também eram cultuadas nesse santuário.

Nemetona

Deusa venerada na Gália oriental, provavelmente padroeira da tribo galo-germânica dos nemetes, e também na Britânia. De acordo com inscrições sobreviventes, na religião galo-romana, Nemetona era associada a Marte.

Ricagambeda

Deusa cultuada na Britânia romana, onde foi encontrada a única inscrição que a ela se refere. De acordo com a inscrição, o altar foi erguido por soldados celtas da tropa auxiliar dos Tungrianos, tribo belga que serviu na atual Inglaterra, em agradecimento a uma graça concedida pela deusa.

Ritona

Essa deusa celta, também chamada de Pritona, era venerada principalmente na terra dos Tréveros, que viviam numa região onde agora é a Alemanha. Ritona tinha templos dedicados a ela nas atuais cidades de Pachten e em Trie. Seu nome sugere que foi uma deusa das vaus dos rios. Uma estátua dessa deusa indica, porém, que Ritona deve ter sido também uma deusa-mãe.

Robor, Roboris

Deus invocado junto ao "genius loci", o "espírito do lugar", numa única inscrição encontrada na comuna francesa de Angoulême.

Rudiano, Rudianus, Rudianos

Rudiano era um deus da guerra cultuado na Gália, comparado a Marte. O nome "Rudiano" significa vermelho, refletindo a natureza guerreira do deus. Uma estátua de Rudiano datada do século VI a.C. atesta a antiguidade de seu culto.

Segomo

Segomo, cujo nome significa "vitorioso, único poderoso", era um deus da guerra gaulês associado pela população de origem romana a Marte e a Hércules. Seus animais eram a águia ou o falcão.

Sequana

Deusa do rio Sena, especialmente de suas nascentes, e da tribo gaulesa dos sequanos, que dela tiraram seu nome. Entre os séculos II e III a.C. foi construído um santuário de cura nas nascentes do Sena, dedicado à Sequana. A julgar pelos ex-votos encontrados no local, Sequana presidia principalmente a cura de doenças respiratórias e oculares.

Souconna

Outra deusa fluvial gaulesa, divindade do rio Saône, na comuna francesa de Chalon-sur-Saône, onde se encontrou uma invocação epigráfica a essa deusa. Nada mais se conhece a seu respeito.

Sulévia, Sulevia, Suleviae

Cultuada na Gália, na Britânia e em grande parte do mundo celta, algumas vezes citada no plural, Sulévia pode ter sido, como as Matres, com as quais são relacionadas em pelo menos uma inscrição, uma entidade coletiva. Seu nome pode significar "aquelas que governam bem". William van Andringa afirma em seu livro La *religion en Gaule romaine: Piété et politique* que as Sulévias eram, provavelmente, divindades "domésticas nativas honradas em todos os níveis sociais".

Taranis, Taranucno, Taranuo, Taraino, Tanarus

Deus do trovão cultuado principalmente na Gália, nas Ilhas Britânicas, na Renânia (região fronteiriça entre a Alemanha e a Bélgica) e no Danúbio. Taranis é citado pelo poeta romano Lucano junto

Wikicommons

Taranis com a roda celeste e o raio (coleção do Museu Arqueológico Nacional, na França).

a Esus e Toutatis, com quem compõe uma tríade sagrada. De acordo com Lucano, vítimas humanas eram oferecidas a Taranis em sacrifício. Por conta de seus atributos, no período romano, esse deus foi sincretizado com Júpiter.

Variantes de seu nome levaram os pesquisadores a relacionar Tranis a Thor, o deus do trovão nórdico, e a Donar, divindade germânica que detém os mesmos atributos. O nome Taranis significa, de fato, "trovão".

Um dos símbolos de Taranis é a roda, especialmente a roda da biga com oito raios, associada ao deus Céu-Sol ou Céu-Trovão, uma vez que, entre os celtas, a roda representava o Sol. A roda de oito raios remetia às oito maiores divisões do ano celta. O dia mais longo do ano, o mais curto e os dois equinócios são chamados, no calendário celta, de Albans. Os outros quatro são os festivais de Samhain, Brigantia, Beltane e Lugnassadh, chamados de Festivais de Fogo. Essa divisão é representada pelos oito raios da roda celeste.

Telo, Tellus

Divindade masculina de uma nascente próxima à cidade francesa de Toulon, ao redor da qual o assentamento se formou. Em algumas dedicatórias a Telo, ele é invocado junto à deusa Stanna, provavelmente sua consorte.

Teutates, Toutatis, Tutatis

Deus celta cultuado na Gália e na Britânia como protetor das tribos locais. Esse deus, juntamente com Beleno, ficou famoso entre os leitores das histórias em quadrinhos de Asterix, o Gaulês, da dupla René Goscinny e Albert Uderzo, que usava como um de seus bordões a expressão "Por Toutatis!"

O nome do deus foi interpretado como "pai da tribo". Os invasores romanos o identificavam ora com Marte, ora com Mercúrio.

Teutates também é citado pelo poeta romano Lucano como um dos três deuses a quem eram oferecidos sacrifícios humanos. As vítimas dedi-

Wikicommons/ G.Garitan

Relevo representando Teutates, exposto no Museu de Saint-Remi, França.

cadas Teutates eram mortas ao serem mergulhadas de cabeça para baixo em um tonel cheio de um determinado líquido, provavelmente cerveja.

Contudo, os atributos dos deuses romanos eram diferentes na Gália. Mercúrio podia ser um deus da guerra, enquanto o Marte gaulês era um deus de proteção ou cura.

Tuatha Dé Danann

Os Tuatha Dé Danann, os Filhos da Deusa Dana, ou Bom Povo, isto é, as fadas, elfos, gnomos e leprecaus. Seres que dominavam a arte da magia e espalharam seus encantamentos por todo o país, impregnando-o com uma aura de mistério. Desde então, a mágica parece pairar nas brumas que envolvem os bosques e lagos daquelas terras.

A deusa Dana também era chamada de Brigit, uma das mais importantes entidades do panteão gaélico. Quando a Irlanda se converteu ao Cristianismo, no século VI, seus atributos foram transferidos quase que integralmente à Santa Brígida. Dana era filha do deus Dagda, "O Bom deus". Ela tinha três filhos, os quais, por sua vez, haviam gerado um único filho, Ecne, isto é, "Conhecimento", ou "Poesia". Os Tuatha Dé Danann eram seres de Luz e de Conhecimento e, entre todas as raças míticas que habitam as histórias irlandesas, eram os únicos que Partholan, personagem mítico que, no início da era cristã, conta a lenda dos povos que deram origem à Irlanda, chamou de deuses. Segundo Partholan, o povo de Dana chegou à Irlanda vindo do céu, trazendo seus tesouros mágicos. Antes de irem à Irlanda, o Bom Povo habitara quatro cidades: Falias, Gorias, Finias e Murias. Lá, eles haviam aprendido as ciências e as artes com os quatro sábios que reinavam em cada uma delas. De Falias, as fadas trouxeram Lia Fail, a Pedra do Destino, sobre a qual os antigos reis da Irlanda eram coroados. Uma antiga profecia rezava que onde Lia Fail estivesse, um rei da raça dos escotos, isto é, a tribo celta irlandesa que emigrou para a Escócia, reinaria. Assim, a pedra foi levada à Escócia no século VI d.C. para a coroação de Fergus, o Grande, irmão de Murtagh MacErc, rei da Irlanda. Em 1297, o rei Eduardo I, da Inglaterra, transferiu Lia Fail para a abadia de Westminster, onde permanece até hoje como a Pedra da Coroação, sobre a qual todos os reis e rainhas da Grã-Bretanha foram coroados desde então.

O segundo tesouro das fadas, a invencível espada de Lugh, Braço Comprido, veio da cidade de Gorias. De Finias, os Filhos da Deusa Dana trouxeram uma lança mágica, e de Murias, o Caldeirão de Dagda, o qual só cozinhava o alimento de heróis e do qual quanto mais se retirava, mais abundante se tornava.

Os danaans procuraram viver em harmonia com os firbolgs e propuseram um acordo de paz. Mas os firbolgs não aceitaram a proposta e os combateram na Primeira Batalha de Moytura. Os danaans, com uma tecnologia bélica superior, derrotaram os firbolgs, mas não os destruíram. Ofereceram um armistício e concederam a eles a província de Connacht, ocupando o resto da ilha.

Os Dananns também combateram as forças maléficas dos fomorianos, antigos habitantes da Irlanda, na Segunda Batalha de Moytura. Durante a contenda, a águia em quem o espírito de Partholan habitava voava em círculos sobre o campo de batalha. Do alto, ele testemunhou os dotados artesãos dos danaans, Goban, o ferreiro, Credné, o inventor, e Luchta, o carpinteiro, consertando as armas dos seus guerreiros com rapidez mágica e curando os feridos com uma pele de porco encantada. Balor, o líder dos fomoriano, cujo olhar matava, causou inúmeras baixas entre as forças dos danaans. Então, Lugh, filho de Kian, o deus solar celta, cujo nome ainda reverbera em cidades como Lion, na França, ou Leiden, na Holanda, deu combate a Balor. Lugh esperou o momento certo, e quando surgiu uma oportunidade, arremessou uma pedra nos olhos de Balor, matando-o instantaneamente. Em seguida, os fomorianos foram expulsos da ilha. Após a batalha, Lugh se tornou rei do danaans, sedimentando a supremacia do herói solar sobre os poderes da escuridão e da força bruta representados pelos fomorianos.

Veraudunus

Só se conhece o deus Veraudunus por duas inscrições votivas encontradas em Luxemburgo. Uma destas inscrições sugere que "Veraudunus" pode ter sido um epíteto de Lenus Marte. Em ambas inscrições, Veraudunus é invocado junto com Inciona.

Vindonnus, Apolo, Belenos

O nome deste deus, "Luz clara", é um epíteto do deus solar romano Apolo e do gaulês Belenos. Nas ruínas do seu templo, na comuna francesa de Essarois, na Borgonha, foram encontrados objetos votivos feitos de carvalho – árvore sagrada para os celtas – e de pedra, representando oferendas ou partes do corpo dos fiéis que estavam doentes para as quais a cura era buscada.

Virotutis

Virotutis é outro epíteto celta de Apolo e significa "benfeitor da humanidade". Apolo Virotutis foi cultuado em diversas localidades da Gália romana.

Visúcio, Visucius

Visúcio, identificado na religião galo-romana com Mercúrio, era cultuado no leste da Gália, e na região do Reno. O nome foi interpretado com o significando de "dos corvos". Segundo algumas inscrições que trazem o nome desse deus, a consorte de Visúcio era Sancta Visucia.

Vosegus, Vosagus, Vosacius

Deus celta de caça e da profecia, representado com um arco e escudo, acompanhado de um cão. Era patrono dos Vosges, uma cadeia de montanhas na Europa centro-ocidental.

Xulsigiae

Deusas tríplices cultuadas no templo de primavera e de cura em Augusta dos Tréveros, na província romana da Germânia Inferior, atualmente Tréveris. Eram, provavelmente, ninfas locais da primavera. As Xulsigiae tinham um templo dedicado a elas, próximo ao templo monumental Lenus Marte. Em uma das placas votivas dedicadas a essas deusas, lê-se:

"Para Lenus Marte e Xulsigiae, Lucius Virius Diseto livre e merecidamente cumpriu seu voto."

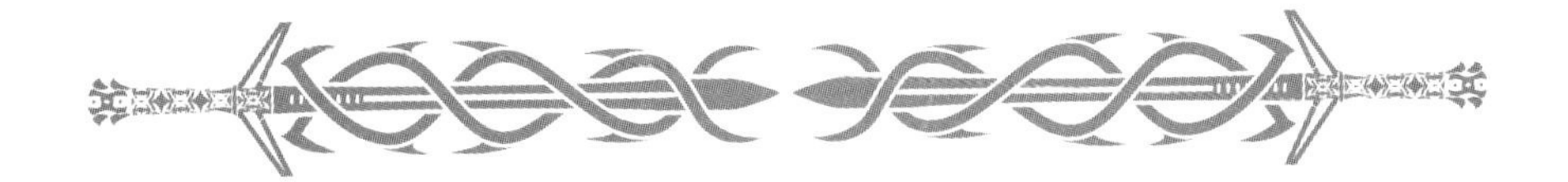

Mitologia Nórdica

Os Vikings

Ao contrário do que se pensa, os vikings não eram muito mais sanguinários do que os cronistas cristãos que escreveram sobre eles. Aquele era um tempo cruel e os vikings eram apenas mais brutais que os outros. Na verdade, esses escandinavos, ou nórdicos, além de ocuparem-se com a guerra, também eram fazendeiros, ferreiros, exímios ourives e poetas. Entre os séculos VIII e IX d.C., estabeleceram um circuito de relações comerciais, de conquistas e de colonização que ia desde onde hoje é o Iraque até o Canadá. Aventureiros suecos penetraram no continente europeu pelos rios russos e chegaram até a Ásia. Navegadores noruegueses cruzaram o Atlântico Norte e fundaram colônias na América. Piratas dinamarqueses conquistaram terras na Europa e nas Ilhas Britânicas. Os vikings preconizaram uma era de expansão que durou quase 300 anos.

Os escandinavos organizavam-se em tribos autônomas que falavam nórdico, uma língua germânica, e adoravam divindades falíveis, como Loki, o deus da Trapaça, ou Freya, a deusa do Amor. A liberdade individual era um dos seus principais preceitos. Todos os membros da comunidade podiam falar nas assembleias nacionais, ou Things, um embrião do atual parlamento. As mulheres eram iguais aos homens perante a lei. Elas podiam possuir e administrar propriedades e dinheiro, além do direito de se divorciarem com a mesma facilidade, ou dificuldade, que seus maridos.

Os nórdicos pescavam, criavam gado, ovelhas, porcos e cultivavam. No entanto, a falta de terra e os meios agrícolas primitivos limitavam a prosperidade. O comércio era uma atividade praticada por muitos deles. Tinham âmbar, marfim de morsa e peles que trocavam com outros povos por seda, vidro, aço para espadas, prata bruta e cunhada que derretiam e usavam em trabalhos de ourivesaria. Mas, com o conhecimento que obtiveram de suas expedições comerciais, eles logo perceberam que pilhar a costa próxima era um meio mais fácil de conseguir riquezas. Nessa época, a Europa Central estava dividida e vulnerável depois de séculos de migrações tribais que se seguiram à queda do Império Romano. Os portos onde o comércio se expandia tornaram-se alvos fáceis para piratas. Chefes escandinavos (Jarls), recrutavam os robustos filhos dos fazendeiros para saquear a costa próxima. Eles chamavam essa prática de viking, que significa "pirataria", o que na época era só mais um meio de vida. Nem todo nórdico Era Viking e mesmo os que participavam das viagens de pilhagem não eram piratas em tempo integral. Isso era apenas um "bico" para eles. Mesmo assim, foram os sanguinários vikings que fizeram a fama dos escandinavos. Seus ataques espalharam terror por toda Europa. "Senhor, livrai-nos da fúria dos Homens do Norte!" era uma prece comum nas missas do fim do primeiro milênio. Os mosteiros das Ilhas Britânicas eram presas fáceis: costeiros, isolados, ricos e quase sem defesa.

A Era Viking

Na manhã de 8 de junho de 793, um grupo de vikings remou seu barco mansamente pela neblina até a praia inglesa. Talvez alguma ovelha solitária os tenha visto e balido assustada, mas os monges do mosteiro de Lindisfarne, ocupados com suas tarefas, não ouviram e não tiveram tempo de se proteger. O brutal ataque surpresa abalou toda a Inglaterra, então sob domínio dos saxões (povo originário do norte da Alemanha que tinha se estabelecido na ilha depois de muita luta), e espalhou medo pela Europa, dando início ao que os historiadores chamaram de Era Viking. Suas expedições guerreiras saquearam todo o continente, do Atlântico ao Mediterrâneo. Vikings dinamarqueses e noruegueses fizeram das ilhas do norte da Escócia sua base e tentaram se fixar na Irlanda, mas foram impedidos pelos reis locais.

No entanto, deixaram sua marca na ilha. Em 841, fundaram Dublin, um estratégico entreposto comercial e de tráfico de escravos. No século IX, os vikings conquistaram três dos quatro reinos ingleses de então, território que ficou conhecido como Danelaw. O único que escapou foi Wessex, ao sul. Mesmo assim, seus fracos líderes eram obrigados a pagar "danegeld", ou taxa de proteção, aos escandinavos: dez toneladas de prata por ano, o equivalente a quase todo o PIB do reino no período. Os vikings usavam esse dinheiro para financiar mais exércitos invasores.

Em 911, o rei da França, Carlos, o Simples, cedeu uma faixa de terra na costa noroeste daquele país ao chefe viking Rollo em troca de proteção, pois os nórdicos entravam pelos rios e saqueavam o interior do país. Até Paris já tinha sido pilhada. Rollo estabeleceu as bases do que viria a ser o ducado da Normandia e de lá passou a atacar os Países Baixos. No século IX, os normandos expulsaram os mouros da Sicília e dali expandiram a cultura viking ao longo do Mediterrâneo e Norte da África.

Um dos descendentes de Rollo, Guilherme, o Conquistador, submeteu a Inglaterra em 1066, na Batalha de Hastings. O último rei saxão da Inglaterra, Haroldo, havia acabado de derrotar o soberano norueguês Harald Hadrada, em mais uma tentativa viking de invadir o país, quando soube que as forças de Guilherme desembarcavam na costa leste. Haroldo mal teve tempo de conduzir seu fatigado exército ao campo de batalha. Apesar do cansaço, seus homens resistiram ao ataque dos normandos. Guilherme só conseguiu vencer a luta usando um estratagema: seus soldados fingiram bater em retirada e os saxões abriram a guarda para perseguir os fugitivos. Em vão Haroldo tentou contê-los, gritando desesperadamente que não abandonassem suas posições. Os normandos aproveitaram a desorganização do inimigo, reagruparam-se e o aniquilaram. Enquanto Haroldo berrava ordens, uma flecha va-

A Tapeçaria Bayeux narra em detalhes a invasão da Inglaterra pelos normandos.

Shutterstock/ jorisvo

rou a viseira do seu elmo, ferindo-o mortalmente no olho. Guilherme foi coroado rei e fundou uma duradoura dinastia em solo inglês. A Batalha de Hastings é considerada por muitos como o final da Era Viking.

Mas os nórdicos não expandiram sua cultura devido apenas às conquistas militares. Os svears, habitantes da atual Suécia, acumularam riquezas, principalmente com o comércio. Penetraram na Europa e na Ásia por rios continentais, estabelecendo uma rede de entrepostos que ia da Suécia até a Arábia. Foram eles que fundaram o primeiro Estado Russo, cuja capital era Kiev. Esses vikings eram chamados pelos nativos ucranianos de "rus", palavra que deu o nome à atual Rússia. Por volta de 860, os svears atacaram e saquearam Constantinopla, conhecida por eles como Miklagard, ou "Grande Cidade". Também chegaram até o norte da África e é possível que tenham alcançado a Índia.

Descobertas Arqueológicas

Tanto a "Graenlending Saga" quanto a "Saga de Erik, o Ruivo" contêm descrições que, embora contraditórias, situam Vinland no atual Golfo de São Lourenço (Canadá) e Hops na baía de Nova Iorque. No entanto, a única prova concreta da presença viking na América só foi encontrada em 1960, pelo explorador norueguês Helge Ingstat e sua mulher, a arqueóloga Anne Stine, em L'Ance aux Meadows, na Terra Nova, Canadá. São casas de telhado de colmo, forjas, ferramentas e objetos de ferro que comprovam a verdade das sagas.

As colônias vikings na América não duraram mais do que algumas décadas. Havia poucos colonos (no máximo 500) e os nativos eram muito beligerantes. Na Groelândia, os vikings permaneceram por mais de três séculos. Os recursos naturais, como madeira para combustível, escassearam e, em 1350, a temperatura do planeta entrou em uma queda que duraria 500 anos, conhecida como Pequena Era Glacial. As técnicas de caça e de agricultura dos nórdicos eram inadequadas para o frio e os vikings nunca assimilaram os conhecimentos dos nativos esquimós, os inuits. Por isso, também tiveram de abandonar a ilha. Em 1540, um navio mercante alemão, o primeiro a aportar na Groelândia em centenas de anos, encontrou fazendas e oficinas desertas, além de um homem morto, não enterrado, vestindo roupas de pele de foca. Provavelmente, era o último colono nórdico daquela terra.

O Povo e a Sociedade

Além das evidências arqueológicas, a maior parte das informações que temos sobre a sociedade e a vida dos antigos nórdicos vem das sagas. Um desses longos poemas épicos, o Rígspula, datado do século X d.C., narra as aventuras do deus Heimdall na Terra, quando ele criou classes sociais distintas: escravos, fazendeiros e líderes guerreiros. A consciência de classe é enfatizada no poema. Enquanto os guerreiros e fazendeiros são tratados com reverência, os escravos são mencionados com desprezo e, até mesmo, com certa repugnância.

As descrições do texto são comprovadas por provas materiais. A análise de esqueletos de diferentes locais na Escandinávia revelou que a altura padrão dos vikings era um pouco mais baixa que a média atual dos escandinavos: os homens mediam em média 1,72m e as mulheres, 1,59. Contudo, foram também encontrados esqueletos com mais de 1,90m. Os túmulos desses indivíduos eram, via de regra, ricamente decorados, repletos de objetos preciosos e úteis na vida que os esperava junto aos deuses. Os antropólogos afirmam que isso se deve às melhores condições de vida e alimentação que as pessoas das classes mais altas dispunham.

Um túmulo escavado em Langeland, Dinamarca, ilustra a relação de classes e a expectativa de uma vida futura. Na tumba há dois esqueletos de homens adultos. O menor deles foi decapitado e teve, provavelmente, as mãos amarradas às costas. Já o segundo, maior, está intacto e traz sua lança numa das mãos, indicando ser o mestre.

O exame de esqueletos nórdicos da Era Viking revelou que a osteoporose era uma doença comum entre os adultos. Também tinham falta de dentes, devido à alimentação rústica, embora cáries não fossem comuns. Em alguns casos, os esqueletos traziam marca de ferimentos, indicando que a morte foi causada numa luta ou batalha.

Em geral a longevidade dos nórdicos era bastante longa para o período, especialmente na Dinamarca, onde as condições de vida eram, em geral, boas. De 240 esqueletos do período viking estudados nesse país, a maioria, 140 indivíduos, tinha alcançado a idade madura, entre 35 e 55 anos, enquanto os outros 100 foram classificados como adultos, na faixa entre 20 e 25 anos. Apenas dois esqueletos analisados eram de indivíduos com mais de 55 anos.

Estatuetas do período, uma vez que há pouquíssimos desenhos e pinturas da época, mostram mulheres usando vestidos longos e esvoaçantes, com os cabelos presos às costas em penteados elegantes. Os homens usavam, invariavelmente, bigodes compridos e trançados e longos cavanhaques. A julgar pelos entalhes, raramente deixavam a barba cobrir as faces.

Diversos objetos demonstram que a aparência era importante para os vikings. Pentes cravejados com pedras e outros ornamentos eram comuns não apenas entre os nobres. Em diversas escavações foram encontrados limpadores de unhas, bacias usadas para lavar o rosto e as mãos, e palitos de dentes, indicando preocupação com a higiene.

O viajante árabe-espanhol At-Tartüshi, que, no século X d.C., visitou Hedeby, importante centro comercial da Era Viking, na fronteira da Alemanha com a Dinamarca, registrou que tanto os homens quanto as mulheres nórdicas delineavam os olhos com maquiagem. O cronista inglês John de Wallingford (? – 1214), também descreveu a aparência dos vikings. Embora tivesse vivido num período posterior ao das grandes invasões dos homens do norte, Wallingford teve acesso a fontes antigas, hoje indisponíveis. Segundo o cronista, os homens nórdicos eram cobiçados pelas mulheres inglesas. Esse sucesso devia-se ao fato de os vikings tomarem banho aos sábados, pentearem o cabelo e vestirem-se com esmero. Uma antiga carta inglesa sugere, até mesmo, que os vikings eram almofadinhas e inovaram a moda da época. A mesma carta, escrita pelo autor a seu irmão Edward censurando-o por seguir "a moda dinamarquesa", indica que os homens raspavam a parte de trás da cabeça – um estilo de cabelo que pode ser visto nos normandos representados na Tapeçaria Bayeux.

Os escravos e pessoas livres, mas que não possuíam terras, usavam artigos inferiores e tinham uma alimentação pior. Não usavam os penteados nem as roupas dos mais ricos. Tampouco os vikings em expedições comerciais ou de guerra eram tão limpos e arrumados.

As Casas Vikings

A vida viking girava ao redor da casa, fosse uma grande propriedade ou casebre. As casas das vilas eram diferentes das habitações das fazendas, mas, nos dois casos, eram normalmente cercadas de outras construções utilitárias que compõem o conjunto. As casas dos nobres demonstram um grande conhecimento de construção e de marcenaria, pois muitas delas eram feitas de madeira. O exterior era decorado com entalhes e pintado com cores vivas, como pode ser vista na igreja de Urnes, na Noruega.

Uma peculiaridade das casas vikings eram as fechaduras. Fossem de ferro ou de madeira, equipavam todas as casas. Nas residências dos ricos, as despensas e casas utilitárias também eram trancadas e, como nos mitos da deusa Frigga, era a dona da casa quem controlava todas as chaves. No meio da casa ficava a lareira, usada não só para aquecer e dar alguma luminosidade, mas também para cozinhar. Não havia chaminé. A fumaça saía por uma abertura no telhado, geralmente de turfa, que acabava, com o tempo, ficando coberto de grama. Invariavelmente, as casas eram cheias de fumaça.

O chão das casas era de terra batida, por vezes coberta com feno seco. Próximo das paredes – muitas vezes decoradas com painéis –, erguia-se uma plataforma de terra, escorada por madeira, mais quente, por ser mais elevada que o chão. Nas casas grandes, essa plataforma de terra chegava a ter 1,5m de altura. As pessoas colocavam suas mesas e bancos nessas elevações, onde ficavam a maior parte do tempo que permaneciam nas casas, evitando, assim, gripes e congelamento dos pés.

Os itens de decoração mais comuns, além dos painéis coloridos, eram tapetes, almofadas, peles e os móveis, constituídos apenas de mesas e bancos, baús e arcas. Bancos e cadeiras eram escassos e era comum que as pessoas se sentassem no chão, sobre peles, para comer e conversar. O quarto de dormir costumava ser, simplesmente, um canto da plataforma onde os moradores deitavam-se sobre suas peles.

Homens Livres

As pessoas livres eram a espinha dorsal da sociedade viking. Era o maior e mais variado grupo, composto pelos nobres, grandes e pequenos proprietários, mercadores e, também, homens e mulheres sem posse, como caçadores, guerreiros, servos e lenhadores. Todos eles tinham o direito de expressar seus pontos de vista no Althing, o conselho comunitário.

A agricultura era a atividade mais comum em toda a Escandinávia. Muitos trabalhavam nas suas próprias fazendas, mas havia aqueles que, possuindo grandes tratos de terra, arrendavam-nas para outros homens livres. A terra era o elemento que conferia status na sociedade viking. Os grandes proprietários costumavam mandar gravar pedras rúnicas celebrando seu nome e sua riqueza. Num desses monumentos, próximo da igreja de Vallentuna, em Estocolmo, Suécia, lê-se: "Jarlabank ergueu estas pedras em sua memória, quando ainda era vivo. Ele era dono de todo o Täby. Deus ajude sua alma".

No entanto, a terra não era o único meio de se adquirir riqueza – um fator essencial para o viking. As expedições de saque eram uma possibilidade de se enriquecer rapidamente. Para tanto, era preciso servir um líder guerreiro, ou, posteriormente, rei, ou emigrar para lugares distantes, como a Islândia ou a Groenlândia, onde ainda havia muita terra.

Escravos

Apesar do grande número de escravos na antiga Escandinávia, por não terem qualquer influência política ou econômica, existem poucos registros sobre eles. Sabe-se, no entanto, que alguns crimes eram punidos com a escravidão e os filhos de escravos tinham o mesmo status que seus pais. Grande número deles eram prisioneiros capturados em expedições montadas especificamente para fazer escravos – e, claro, saquear seus bens. Os guerreiros podiam ficar com eles, vendê-los ou cobrar resgate de seus parentes ou das igrejas cristãs, que não queriam que seus fiéis fossem escravos de pagãos.

O roubo e tráfico de gente era, de fato, um ótimo negócio. Esse tipo de comércio era comum em todo o mundo viking e das terras que eles tinham conquistado – da Irlanda à Rússia. Segundo Else Roesdahl, autora do livro *The Vikings*, "é muito provável que os seres humanos eram um dos principais produtos comerciais dos vikings". Além de sequestrarem pessoas no estrangeiro, os nórdicos escravizavam, igualmente, seus próprios compatriotas.

Embora os escravos fossem submissos ao seu dono, havia leis que regulamentavam seu trabalho e sua vida. Apesar da descrição de Ibn Fadhlan de escravas satisfazendo o desejo sexual de seus captores à sua revelia, esse não era o caso nas fazendas e casas de família. Em geral, os escravos habilidosos e bons trabalhadores eram respeitados e bem tratados. Alguns escravos acompanhavam seus mestres na morte. Fadhlan conta de um funeral no qual uma escrava acompanha seu dono. Ela, porém, oferece-se para isso. Ao que parece, era melhor ser enterrado num túmulo rico ao lado de um senhor poderoso do que ser colocado num simples buraco na terra.

Viajantes

A expansão viking só foi possível graças a um elemento tecnológico fundamental, um barco movido à vela e remos, rápido e fácil de manobrar, capaz de navegar tanto em águas rasas quanto em mar aberto: o Longship, ou "navio comprido", obra-prima da arquitetura naval da Idade Média. Eram construídos com finas tábuas de carvalho, mais ou menos da grossura de um dedo, sobrepostas e pregadas com cravos de ferro. Os espaços entre as tábuas eram vedados com corda de lã engraxada com alcatrão. A estrutura desses barcos absorvia a energia das ondas e, como consequência, planava sobre elas.

Havia basicamente dois tipos de Longship: o Karv, usado tanto para o comércio quanto para expedições de saque, e o Drakkar, navio de guerra que podia transportar mais de cem soldados. O maior Drakkar já encontrado por arqueólogos, desenterrado perto da vila de Skuldelev, na Dinamarca, tinha 118 pés de comprimento e transportava mais de cem homens. Os escandinavos desenvolveram e utilizaram barcos a remo por centenas de anos. Mas foi a vela que possibilitou aos vikings cruzar o Atlântico Norte até a América. Feita de lã e impermeabilizada com lanolina, podia ser ajustada conforme a direção do vento. O barco velejava com vento pela popa ou de través e desenvolvia velocidade de até 10 nós (18,5 km/h). Rápidas e esguias, essas naus eram símbolos de status para seus donos, como os atuais carros esportivos. A maior honra que prestavam aos seus líderes mortos era cremá-los num desses navios para que sua alma velejasse a Asgard, a morada dos deuses vikings.

Os Karvs e os Drakkars permitiram aos vikings fazer valer sua liberdade e preservar sua cultura pagã. Destemidas e independentes, muitas tribos nórdicas não aceitaram o poder central imposto pela figura do rei, uma nova configuração política influenciada pelas alianças com soberanos continentais. Os líderes que não concordaram com a submissão ao poder real emigraram. Os longships os tinham tornado senhores do mar. Foi o que aconteceu em aproximadamente 885, quando Harald

Drakkar on the waterfront in Vyborg, Rússia.

Shutterstock/ OlegDoroshin

Finehair foi coroado o único rei da Noruega. A onda de emigração que se seguiu levou à descoberta e colonização da Islândia, uma ponte que levaria os vikings à América.

Livres de influências externas, os imigrantes noruegueses que se estabeleceram na Islândia preservaram e desenvolveram os princípios vikings. Em 930, fundaram o Althing, uma assembleia geral onde representantes de toda a população – aproximadamente 12.000 pessoas, na época – discutiam assuntos de importância e julgavam disputas. Os islandeses também criaram um famoso gênero de literatura épica: a Saga. Nessas histórias, que começaram a ser escritas no século XII, eles registraram os feitos dos seus navegadores, suas viagens e as águas que singraram. Duas delas, *A Saga de Erik, o Ruivo* e a *Graenlending Saga*, ou *Saga Groelandesa* narram as aventuras de Erik, o líder de um clã de marinheiros que descobriram e tentaram colonizar a Groenlândia e a América.

A Literatura Viking: Poemas e Sagas

A poesia era parte importante da cultura viking. O conteúdo, métrica e forma de um texto eram apreciados em toda a Escandinávia; e os poetas, valorizados. A Islândia conserva obras escritas imediatamente depois da Era Viking e que têm sua origem na tradição oral – um retrato satisfatório dos feitos e costumes dos nórdicos de então.

Como a maioria dos povos do norte da Europa, os vikings achavam que a poesia era uma boa diversão. A palavra "poeta" (skáld) já aprece em pedras rúnicas do início da Era Viking, o que indica que sua atividade estava consolidada entre os nórdicos. Poetas ganhavam fama e respeito. Muitos contos folclóricos falam de poetas sendo colocados nos lugares de honra dos banquetes. A poesia também não era prerrogativa dos homens. Sabe-se de pelo menos uma poetisa nórdica, Jórunn Skáldmaer, isto é, Jórunn, a Poetisa, ativa na Noruega nos anos 930.

Havia três tipos diferentes de poemas: rúnicos, edaicos e escáldicos. Os poemas rúnicos estão preservados, como o nome sugere, em pedras rúnicas espalhadas por toda a Escandinávia, especialmente na Suécia. Datam entre 970 a 1100 d.C. e são, quase sempre, poemas breves em honra de determinada pessoa.

Os poemas edaicos falam sobre os deuses pagãos e os antigos heróis escandinavos e germânicos, seus feitos e conquistas. Seus autores são anônimos. Muitas delas transformaram-se em contos folclóricos de vários países e inspiram criações modernas, como a obra de J.R.R. Tolkien, *O Senhor dos Anéis*. As histórias recontadas neste fascículo são adaptadas de antigos poemas edaicos.

Os poemas escáldicos, a terceira forma de poesia da Escandinávia medieval, sobreviveram nas sagas islandesas, introduzidos em meio à narrativa em prosa para aumentar a dramaticidade do texto. Os poemas escáldicos eram divididos em diversas partes para serem encaixados na saga, o que torna difícil "reconstituir" o poema original. A essência do poema escáldico é o louvor dos grandes homens, o registro dos nomes dos reis e líderes militares. Enquanto os poemas edaicos comemoram a glória da memória viking, os escáldicos celebravam os eventos e personagens contemporâneos. Por isso mesmo, eram, muitas vezes, compostos para ocasiões especiais por poetas contratados para esse fim.

Sagas

Além da poesia, os nórdicos também se dedicavam a registrar suas conquistas, as crônicas de seus reis, as guerras travadas e expedições empreendidas, em longas narrativas, as sagas. A palavra tem origem no escandinavo antigo e significa algo como "história", ou "conto".

Escritas em prosa, trazem, igualmente, poemas sobre os grandes feitos do passado. As sagas islandesas, em especial, baseiam-se na tradição oral sobre a imigração para a ilha, transmitida de geração a geração. No século XII, essas narrativas começaram a ser escritas, acrescidas de boa dose de ficção, quase a ponto de mudar o conteúdo original. Romanesca e fantástica, a saga nórdica é um dos embriões do romance moderno.

Como os romancistas de hoje, os autores de sagas, como o islandês Snorri Sturluson (1179 – 1241), faziam descrições de itens e personagens do dia a dia, situando o leitor na Era Viking. Contudo, por ser um período histórico anterior ao período dos seus autores, há imprecisões nesses detalhes. As roupas que os vikings dessas aventuras usam, por exemplo, são mais parecidas com as do século XII, quando foram escritas.

Os estudiosos classificaram essas narrativas em nove diferentes tipos, conforme o tema que abordam: sagas dos reis, islandesas, crônicas islandesas, contemporâneas, lendárias, cavalheirescas, groenlandesas, dos santos e dos bispos. Os autores islandeses são os que mais produziram – e com maior qualidade. Por isso mesmo, as sagas mais comentadas são as islandesas.

A maior parte das sagas islandesas passa no período entre 930 e 1030, chamado, na História da Islândia, justamente, de Era das Sagas. Contam as aventuras das grandes famílias islandesas que se estabeleceram na ilha a partir do século X. São os mais bem elaborados exemplos desse tipo de literatura. As crônicas islandesas abordam os mesmos temas e têm as mesmas preocupações estéticas das sagas islandesas, mas são menores.

As Sagas dos Reis, Bispos e Contemporâneas foram escritas mais tarde, entre 1190 e 1320. Baseiam-se na tradição oral e fontes contemporâneas. Alguns autores chegaram mesmo a entrevistar os protagonistas de suas narrativas. As sagas contemporâneas passam-se na Islândia dos séculos XII e XIII, tendo sido escritas imediatamente depois dos eventos que narram. A maioria desses textos foi preservada na compilação Satrlunga Saga, publicada no século XIV.

As Legendárias, como diz o nome, misturam personagens e fatos verídicos a mitos e lendas. Escritas com uma narrativa envolvente e colorida, sua proposta é o entretenimento. Mesmo após a conversão ao Cristianismo, o passado mítico dos nórdicos era motivo de orgulho para os islandeses.

Finalmente, as sagas cavalheirescas são traduções e adaptações ao gosto nórdico das *chansons de geste* (canções de gesta), poemas épicos franceses do final da Idade Média sobre os feitos dos cavaleiros e suas damas.

Snorri Sturluson

Grande parte do conhecimento sobre os mitos nórdicos que chegou até nós foi registrado no texto *Edda em Prosa*, do líder guerreiro, historiador e poeta islandês Snorri Sturluson (1179 – 1241), escrita no princípio do século XIII, provavelmente durante a década de 1220. Na época, a Islândia sofria um processo de transição social que levou o país do paganismo ao Cristianismo. Snorri percebeu que a rica tradição oral nórdica estava sendo solapada pelos cristãos e resolveu, então, escrever um tratado sobre prosa e verso segundo a tradição dos skalds, ou poetas, escandinavos.

Shutterstock/ BMJ

Estátua do poeta e historiador islandês Snorri Sturlusson, autor de diversas sagas (Reykjavík, Islândia).

Snorri dividiu a *Edda em Prosa* em três partes: Gylfaginning ("O Engano de Gylfi"), *Skáldskaparmál* ("A Linguagem Poética"), e *Háttatal* ("Um Tratado de Métrica"). O Gylfaginning é particularmente importante, pois traz muito dos mitos nórdicos sobre a criação, a cosmogonia nórdica, além de lendas sobre os deuses, gigantes e anões, e também sobre o Ragnarök – a "Morte dos Deuses". No *Skáldskaparmál*, além de discorrer sobre a tradição poética escandinava, Snorri registrou lendas de heróis, como a de Sigurd e os nibelungos. Finalmente, o Háttatal é um longo poema heroico sobre o rei Hákon e o duque Skúli Baröarson, onde Snorri aproveita para comentar as variações da métrica usadas no poema.

Outra obra de Snorri, a Heimskringla Saga – uma história dos reis noruegueses –, registra uma faceta fundamental da maneira como os escandinavos viam seus deuses. De acordo com Snorri, os deuses nórdicos eram homens, porém imortais, que viviam entre o povo. Foram esses imortais os primeiros a reinar sobre a Noruega.

A Religião dos Vikings

Durante a maior parte da Era Viking, os escandinavos não se converteram ao Cristianismo. Isso só começou a acontecer em torno do século X. Foram os missionários cristãos que descreveram a antiga religião dos nórdicos. Esses registros não muito confiáveis são os únicos que chegaram até nós sobre as práticas espirituais dos escandinavos durante a Era Viking. Além disso, essa pequena evidência documental foi produzida muitos séculos depois da conversão desse povo ao Cristianismo. As fontes mais importantes são antigos poemas sobre os deuses, registrados na antologia *O Velho Edder*, produzida no século XIII e em 165 páginas do livro de Snorri Sturlunson, escrito em 1220 sobre a arte da poesia, a *Edda em Prosa*. Há, também, informações fragmentadas, colhidas dos relatos de viajantes árabes (como no texto *Os Devoradores de Mortos*), em poemas em honra a príncipes ou em pedras rúnicas.

A informação disponível sobre a antiga religião nórdica é, portanto, baseada em diferentes informações, provenientes de vários períodos e locais, narrada por pessoas de uma formação religiosa adversa. Por isso, os conceitos espirituais dos nórdicos pré-cristãos chegam a nós parecendo obscuros e primitivos. Sabe-se que a antiga religião era tolerante, que tinha muitos deuses e que, com a expansão do Cristianismo durante a Era Viking, adotou novas divindades. Os aspectos e práticas religiosas variavam um pouco de região para região, mas a maior parte das crenças espirituais era comum em toda a Escandinávia.

Apesar da pobreza das evidências, há indicações de que os cultos era descentralizados e conduzidos pelos chefes locais – os fazendeiros ricos. Segundo o relato do viajante árabe Ibn Fadhlan, havia também sacerdotisas que conduziam os funerais – chamadas de "Anjos da Morte" – e liam o destino através das runas – os grafismos mágicos dos nórdicos. As comunidades de uma determinada região se reuniam num festival sacrifical, o *blót*, onde banquetes eram oferecidos em honra a determinados deuses.

Outro culto, o de Lejre, foi descrito por um viajante alemão no final do século X. De acordo com Thietmar de Merseburg, as pessoas se reuniam a cada nove anos num festival onde eram sacrificados tanto animais como humanos. Noventa e nove pessoas e o mesmo número de cavalos, cães e galos eram mortos. Adam de Bremen relata que em Upsala eram enforcados num bosque sagrado nove homens e o mesmo número de machos de diferentes espécies. De acordo com Adam, esse festival era realizado em toda a Suécia. Durante as festividades, todos ofereciam presentes. A tapeçaria de Oseberg retrata uma procissão religiosa, provavelmente num culto semelhante ao de Lejre: pessoas seguindo em carroças, a cavalo ou a pé, algumas levando lanças e escudos, outras vestindo máscaras de animais, outras ainda usavam chapéus de onde se projetavam chifres.

Shutterstock/ Nadezhda Bolotina

Túmulos vikings marcados com pedra, em Aalborg, Dinamarca.

Mas além dos templos e dos festivais, as divindades escandinavas também podiam ser adoradas em meio à natureza: em florestas, em fontes, colinas, montanhas e em lugares especialmente consagrados, os quais eram chamados de Ve.

Ritos Fúnebres

Como em tudo que se refere à religião nórdica, também há poucas informações acerca dos seus ritos fúnebres. Os achados arqueológicos demonstram, porém, que eles eram incrivelmente variados – assim como os conceitos de vida após a morte. Algumas fontes escritas falam de diversos reinos dos mortos. Um desses reinos era Hel, governado pela deusa do mesmo nome, filha de Loki e irmã da Serpente do Mundo e do lobo Fenris. Homens e mulheres habitavam esse reino após terem morrido. O Valhalla de Odin destinava-se apenas aos guerreiros escolhidos, mas sabe-se que também havia guerreiros no palácio de Freya. Também há relatos sobre mortos que continuaram a viver em suas tumbas.

As maneiras como se enterravam os mortos também diferem umas das outras. Muitos eram enterrados com bens para serem usados na vida após a morte. Esses bens variavam de acordo com as posses do morto. Na Noruega, a maior parte dos objetos eram utensílios agrícolas, ferramentas e coisas de uso doméstico. No entanto, em túmulos de toda a Escandinávia foram encontradas armas – o símbolo do status das classes superiores. Na Noruega e na Suécia era comum se enterrar os aristocratas em seus navios. Os túmulos dos homens escandinavos quase sempre continham cavalos, e o das mulheres, carroças, ou partes de carroças. As tumbas também recebiam provisões de alimentos e bebidas. Isso tudo sugere que o morto realizava uma jornada. Também não era incomum que o morto fosse acompanhado por um companheiro de viagem, possivelmente um escravo ou escrava, sacrificado para a ocasião. Por vezes se cremava o morto e os objetos fúnebres e, em seguida, enterrava-se o que havia restado. Ibn Fadhlan, que foi enviado em uma viagem com uma tripulação viking e narrou suas aventuras num precioso manuscrito preservado até nossos dias, explicou que os nórdicos cremam seus mortos para que "cheguem de uma vez ao paraíso".

Os Deuses

Cada um dos deuses nórdicos era responsável por um aspecto importante da existência humana. Eles eram representados como homens e mulheres e se comportavam como mortais. Viviam em comunidades estruturadas, exatamente como os ricos fazendeiros nórdicos, e se dividiam em duas famílias, os Aesir e os Vanir. O líder dos Aesir era Odin, o onisciente deus do poder, da sabedoria, da poesia e das batalhas. Odin tinha atitudes muitas vezes selvagens e imprevisíveis, além de possuir estranhas habilidades, adquiridas através de práticas místicas e sobrenaturais relacionadas à morte. Odin tinha apenas um olho, pois o outro trocara por um gole de água da Fonte da Sabedoria. Sua arma era a lança, e seus corvos Hugin e Munin voavam ao mundo todos os dias e, na volta, transmitiam ao deus o que tinham visto e aprendido em Midgard, o mundo dos mortais. Odin viajavam em um cavalo de oito patas, Sleipnir, mais rápido que o próprio vento. Em seu palácio, o Valhalla, Odin recebia os melhores guerreiros tombados em batalha, que lá chegavam escoltados pelas Valquírias. Ele e seus guerreiros aguardavam a chegada da batalha final contra os poderes do mal. No entanto, Odin perderia essa luta e seria devorado pelo lobo Fenris. Isso aconteceria durante o Ragnarök, a destruição da ordem do Universo. No entanto, depois do conflito, um novo mundo surgiu. Odin, o Furioso, era adorado pelos reis e, acreditavam os nórdicos, ele era capaz de conferir força ao guerreiro para lutar contra seus inimigos. Ele tinha um lugar de honra no grande templo de Uppsala, junto com dois outros importantes deuses: Thor e Frey.

A Cavalgada das Valquírias, de John Charles Dollman (1909).

Segundo um cronista do século XI, Adam de Bremem, Thor era o deus mais poderoso do templo de Uppsala. Segundo Bremem, "Thor governava o ar, o trovão e o raio, os ventos e a chuva, o tempo bom e as plantações... se alguma praga ou a fome se abatem sobre o povo, eles vertem libações ao ídolo Thor". Apesar de Thor ser filho de Odin, sua natureza era bem diferente. Ao contrário do pai imprevisível, Thor era confiável. Ele representava a força física e protegia os humanos do mal, representado pelos gigantes e pela Serpente do Mundo. Seu carro era puxado por cabras – um símbolo de prosperidade em muitas culturas – e sua arma era o poderoso martelo Mjölnir. Adorado em todo o mundo viking, seu martelo era usado como pingente para garantir proteção ao seu dono. Depois da conversão da Escandinávia ao Cristianismo, o pingente do martelo acabou sendo substituído pelo crucifixo.

Havia muitos outros membros da família dos Aesir, como Balder, filho de Odin e deus do bem, mas o terceiro deus do Templo de Uppsala era Frey, da família dos Vanir. Segundo Adam de Bremem, Frey era o deus que "conferia paz e prazer aos mortais". Frey era representado com um falo imenso, uma característica do seu papel como deus da fertilidade. É por isso que, durante os casamentos, diversas oferendas eram feitas a ele. Há relatos de festivais realizados em sua homenagem na primavera, dos quais faziam parte procissões e rituais de fertilidade. A consorte de Frey era Freyja, ou Freya. Há estatuetas sobreviventes desse período que mostram um homem e uma mulher num abraço íntimo, um motivo associado aos cultos de fertilidade, centrados, provavelmente, em Frey e Freyja. A deusa era irmã de Frey, como ele uma divindade do amor e da fertilidade. Freya era líder das Dísir, seres femininos que incorporavam em si a fertilidade da natureza e dos mortais.

Além das duas famílias divinas – os Aesir e os Vanir – havia também as Nornas, deusas do destino, as quais influenciavam tanto mortais como imortais, e as Valquírias. Os vikings também diziam haver gigantes cruéis, inimigos dos deuses e dos homens, que viviam no círculo exterior da Terra e em lugares inabitáveis do mundo. Loki, o matreiro e mentiroso, pai da Serpente do Mundo e do lobo Fenris, gerava com suas intrigas discórdia entre deuses e gigantes. A mitologia viking também era habitada por anões – entidades que habitam o interior da terra –, seres astutos, gananciosos e inteligentes, além de excelentes joalheiros e artesãos. Os elfos viviam nas árvores, e havia também os *fylgjur*, os espíritos guardiões das famílias ou, individualmente, das pessoas. Eles representavam, possivelmente, aquilo que hoje entendemos como as qualidades inerentes do indivíduo.

A Guerra dos Deuses

No início dos tempos, houve uma guerra entre os Aesir e os Vanir. A bruxa Gullveig, da família dos Vanir, entrou em Asgard (o reino dos deuses) em busca de ouro. Mas os Aesir a capturaram e a condenaram à morte. Odin e sua família tentaram matá-la três vezes, sem, porém, conseguir. Depois disso, ela recebeu outro nome, Heid (brilhante), e teve permissão para permanecer em Asgard. Mas os Vanir sentiram-se ultrajados pela maneira como Gullveig/Heid tinha sido tratada e foram

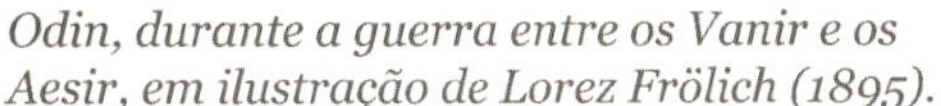
Odin, durante a guerra entre os Vanir e os Aesir, em ilustração de Lorez Frölich (1895).

Wikicommons

tirar satisfações com os Aesir. As duas raças de deuses ficaram uma em frente à outra, trocando ofensas até enfurecerem-se, sem resolver a situação. Diante da indecisão e sentindo-se ofendido por ser cobrado pelos seus atos em seu próprio reino, Odin arremessou sua lança contra os Aesir, e a guerra começou.

Apesar das muitas batalhas, não houve vencedores, e, conforme um antigo costume nórdico, as duas famílias trocaram hóspedes. Os Vanir enviaram Njord (o deus Vanir dos Mares) para ir viver em Asgard com seus dois filhos, Frey e Freya. Os Aesir, por sua vez, mandaram Mímir, o mais sábio dos reis nórdicos, e Hoenir, um dos irmãos de Odin, para morar entre os Vanir, em Vanaheim. Assim, finalmente, houve paz entre os imortais.

DICIONÁRIO

DEUSES

Aegir, Ægir

Aegir, o deus das profundezas do mar, vive num palácio subaquático com sua irmã e esposa, Ran. Os nórdicos, por conta da importância que o mar exercia (e ainda exerce) em suas vidas, temiam as tempestades criadas por Aegir tanto quanto temiam Ran, a deusa dos afogados. Ran lançava sua rede sobre o convés dos navios e arrastava os marinheiros para um túmulo submarino, no seu palácio. Lá, os mortos eram bem recebidos. Como no Valhalla, o hidromel fluía em abundância e os afogados banqueteavam recostados em confortáveis almofadas. Se, porém, a deusa recebesse suas vítimas ainda mais efusivamente, os fantasmas podiam voltar e participar dos seus próprios funerais. Com sua rede, Ran buscava capturar os marinheiros que usavam objetos de ouro. A deusa do mar tinha especial predileção por esse metal, do qual aproveitava o brilho para iluminar seu palácio.

Aegir e Ran tinham nove belíssimas filhas, as gigantes conhecidas como Donzelas das Ondas. Odin possuiu todas as nove que, simultaneamente, geraram o deus da bondade e sabedoria Heimdall.

Balder, Baldur, Baeldaeg

Balder, o deus da luz, é o mais belo dos deuses nórdicos. Filho de Odin e de Frigga, Balder tinha um irmão gêmeo, Hoder, o deus da escuridão. Mas apesar de serem gêmeos, os dois irmãos eram muito diferentes um do outro. Enquanto Balder era de uma beleza radiante, Hoder era cego e melancólico. No entanto, embora o aspecto e os atributos de Hoder não fossem atraentes, ele era fiel e devotado a Balder. Afinal, escuridão é o plano através do qual a luz se irradia. Os dois irmãos vivem no palácio de Balder, Breidablik, em companhia da consorte deste, Nana.

Como seu pai Odin, Balder era um runemal, um mestre na leitura das runas. Na verdade, Balder tinha as runas gravadas na sua língua e podia decifrar qualquer uma delas. Ele era, também, um mestre da medicina e, como sua mãe Frigga, podia igualmente prever o futuro – exceto o seu próprio.

Certa vez, Balder começou a sentir o peso do mundo sobre seus ombros, e a luz começou a desaparecer dos seus olhos. Preocupados, os deuses quiseram saber o que estava acontecendo, e Balder

Odin cura o Cavalo de Balder,
de Emil Doepler (1905).

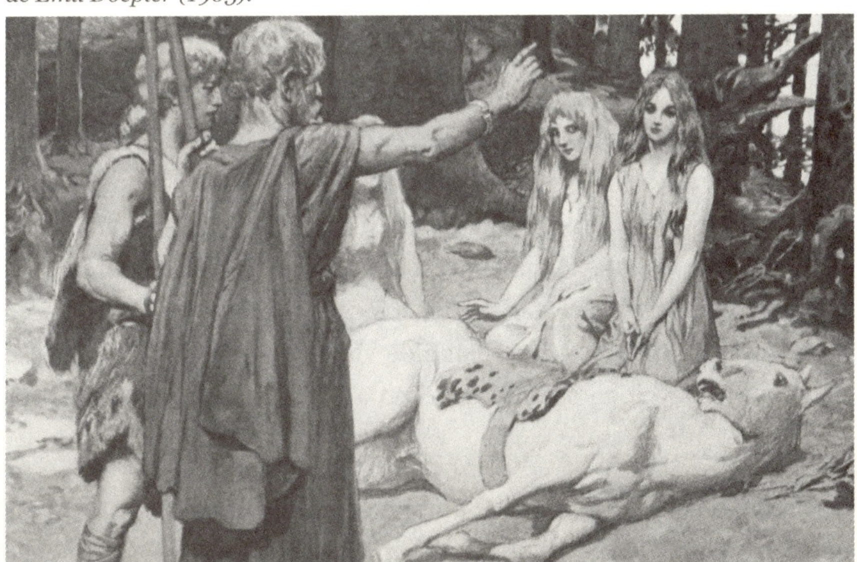

Wikicommons

lhes disse que seus sonhos estavam se tornando pesadelos, trazendo com eles um pressentimento terrível de que algo de muito ruim estava por acontecer. Frigga aterrorizou-se com a sorte de Balder e decidiu que nada de ruim iria acontecer com seu filho. Assim ela obteve a promessa de cada criatura e de cada coisa do mundo – fosse pedra, folha, galho, animal, mortal ou deus – de que não fariam qualquer coisa que ferisse Balder. A única coisa que não prometeu a Frigga foi o visco, uma planta sempre verde de frutos vermelhos. Frigga não se preocupou com isso e até mesmo negligenciou o fato, pois o visco é uma planta macia e sem qualquer possibilidade de fazer mal a alguém – quanto mais a um deus. Entrementes, Odin, igualmente preocupado com o futuro do filho, partiu em viagem a Hel, o reino dos mortos, para consultar uma profetisa sobre o destino de Balder.

A invulnerabilidade de Balder passou a ser motivo de diversão entre os deuses. Os imortais passaram a se reunir em Breidablik para testar os novos poderes de Balder, atirando pedras, alvejando-o com flechas, cortando-o com suas espadas, golpeando-o com machados, sem que nada o ferisse. Mas Loki, o deus da mentira e do engodo, planejava assassinar o deus da luz. Para descobrir seu ponto fraco, ele se transformou numa velha e foi visitar Frigga. Levada pela eloquência de Loki, a esposa de Odin acabou revelando que ela só não pedira ao visco que não machucasse Balder.

Loki, então, afiou uma das extremidades de um ramo de visco e se dirigiu a Breidablik, onde os outros deuses divertiam-se arremessando toda a sorte de objetos contra Balder. Hoder, o irmão de Balder, também estava brincando com os outros. Como, porém, era cego, não conseguia acertar Balder. Loki ofereceu-se para ajudá-lo a atingir o alvo, dando a ele o galho de visco. Loki guiou o arremesso de Hoder, e tão logo o ramo de visco atingiu Balder, o deus da luz caiu morto.

Então, o deus supremo teve um filho com Rind. Vali, o fruto dessa união, atingiu a idade adulta no seu primeiro dia de vida e, naquela mesma noite, abateu Hoder com uma flechada. Vali, então, tomou o lugar de Balder, como deus da eterna luz. Vali é um dos poucos deuses de Asgard que sobreviverá ao Ragnarök.

Bolwierk

Um dos pseudônimos usados por Odin quando visita o mundo dos homens.

Bragi, Brágui

Deus da poesia e da eloquência, cuja língua possuía runas gravadas. Bragi é o "skald", ou poeta, de Asgard. Nasceu da sedução que Odin lançou à gigante Gunnlod. Odin desejava obter o hidromel da poesia, o qual conferia o dom da música e da poesia a quem o bebesse. O rei dos Aesir usou de toda sua eloquência para seduzir Gunnlod, a personificação do espírito poético. No final da aventura, Odin não só recebeu o hidromel da poesia de Gunnlod, mas o próprio amor da gigante, que se deixou possuir pelo deus. Bragi foi o resultado dessa união. Orgulhoso do talento do filho, Odin gravou as runas em sua língua e lhe deu como tarefa compor canções que honrassem os deuses de Asgard e os heróis do Valhalla.

Dellingr

Deus do amanhecer e o terceiro marido da Noite. Juntos geraram Dag.

Eira

Uma das atendentes de Frigga e deusa da Medicina. Para os nórdicos era natural que a entidade responsável pela medicina fosse uma mulher, pois eram elas que cuidavam dos doentes e promoviam a cura.

Fjorgynn

Pai de Frigga.

Forseti

Deus da lei, da justiça e do governo. Há muito pouca informação escrita sobre esse deus. Sabe-se apenas de seus atributos.

Filho de Balder e Nana, deus da eloquência. Forseti tinha a capacidade de falar de modo tão eloquente que seus inimigos costumavam fazer as pazes com ele. Quando não conseguia isso, atacava-os e os matava.

Freya, Freia, Freja, Freyja

Freya, a deusa da guerra e do sexo do panteão nórdico, era, como seu irmão gêmeo e consorte Frey, membro da família Vanir. Junto com Frey e seu pai, Njord, ela vivia em Asgard como hóspede dos Aesir. Quando ela chegou a Asgard, os Aesir ficaram tão encantados com sua beleza que a cobriram de valiosos presentes: construíram para ela o magnífico palácio de Sessrymnir, que só abria suas portas para Freya. O palácio era localizado numa parte de Asgard reservada só para ela, Folkvang, um reino dentro de outro reino. Além disso, os Aesir lhe deram uma carruagem puxada por gatos. Freya também recebeu de presente dos seus anfitriões uma capa de penas de falcão que lhe permitia voar. Freya também liderava as Valquírias aos campos de batalha para guiar as almas dos guerreiros mortos.

Freya havia sido casada uma vez, com Od, mas abandonou o marido em troca de uma vida de promiscuidade. Freya se dedicava a conquistar deuses e mortais. Seu próprio irmão gêmeo, Frey, era seu consorte, e entre seus companheiros sexuais mais constantes estavam o próprio Odin e diversos outros deuses. Mas apesar da sua lascívia, Freya tinha seus princípios. Certa vez, o gigante Thrym roubou o martelo de Thor, o deus do trovão. Loki, o deus da mentira e da trapaça, tomou emprestada, então, a capa de penas de falcão de Freya e voou através de Yggdrasil na tentativa de descobrir o autor do roubo. Assim, Loki soube que Thrym havia roubado e escondido a arma de Thor. Perguntando ao gigante o que queria para devolver o martelo, foi informado que Thrym só entregaria a arma se Freya lhe fosse dada como esposa. Loki levou a mensagem de Thrym até Freya. Apoiado por Thor, Loki pediu que ela cedesse. Isso, porém, só despertou a fúria de Freya: ela jamais cederia a alguém, a não ser que fosse por desejo próprio. Quem veio em socorro de Thor foi Heimdall, o deus guardião da ponte arco-íris que liga Asgard aos outros mundos. Heimdall sugeriu que Thor se vestisse como Freya e se oferecesse a Thrym. Loki, que frequentemente acompanhava

Thor em suas aventuras, também deveria ir com o deus do trovão travestido de dama de companhia. E assim foram os dois Aesir ao encontro de Thrym. Por meio das trapaças de Loki e da força de Thor, os dois deuses recuperaram Mjölnir, o martelo de Thor, e mataram o gigante. Além de deusa do sexo e do desejo, ela era uma deusa da morte. Nesse aspecto, ela é a líder das Valquírias. Em algumas tradições, ela e Frigga são a mesma entidade.

Freyr, Frej, Frey

Freyr, ou Frey, era um dos três deuses mais importantes do panteão nórdico – os outros dois eram Odin e Thor. Apesar de ser um Vanir, ele foi viver junto de seu pai, Njord, um deus do mar, e sua irmã e consorte Freya, como hóspede dos Aesir em Asgard, como parte dos arranjos que puseram fim à guerra entre as duas famílias de deuses. Frey era um deus da fertilidade e do verão, cujo culto incluía sacrifícios humanos. Durante os festivais em homenagem a Frey, uma estátua do deus – sempre representado com o falo em riste – era levada numa carroça através das vilas e fazendas acompanhada de uma sacerdotisa. Por onde passava a estátua, os habitantes da região ofereciam presentes e realizavam sacrifícios ao deus para assegurar boas colheitas e casamentos coroados com muitos filhos.

Frey cruzava os céus no seu navio, Esquidebládenir, regendo o ciclo anual. Seu palácio era próximo a Alfheim, a terra dos

A tapeçaria da igreja Skog, retratando Odin, Thor e Frey (Estocolmo, Suécia).

Wimicommons

elfos. Apesar de a consorte de Frey ser sua irmã gêmea, a deusa do sexo Freya, a história mais conhecida envolvendo Frey se refere ao seu desejo pela gigante de gelo Gerda – a personificação da Aurora Boreal.

Quando Frey viu Gerda pela primeira vez, ele foi instantaneamente tomado de paixão pela gigante. A união entre ele seria, porém, prejudicial tanto para os mortais como para os imortais, pois os deuses e os gigantes de gelo eram inimigos figadais desde o começo dos tempos. Mesmo assim, o desejo de Frey não diminuía. Ele pediu, então, ao seu melhor servo, Skírnir, que procurasse Gerda e a convencesse de ceder ao desejo do deus da fertilidade. Skírnir concordou em empreender a missão, desde que Frey lhe emprestasse seu cavalo e sua espada, a qual começava a retalhar seus inimigos tão logo fosse desembainhada. Além disso, Skírnir levou consigo onze maçãs de ouro da juventude eterna, dadas a ele pela deusa da primavera, Idun.

Cavalgando o veloz Blodughofi, Skírnir logo chegou a Jotunheim, o reino dos gigantes de gelo, para onde Bergelmir, o ancestral daquele povo, havia se retirado depois que Odin, Vili e Ve derrotaram seu pai, Ymir. Skírnir dirigiu-se, então, ao palácio de Gymir, o pai de Gerda. Aqui, o servo de Frey encontrou uma parede de fogo que impedia a entrada de estranhos ao interior do palácio. Tomando distância, Skírnir fez Blodughofi galopar rápido como o vento e saltar para dentro do palácio. Mas, apesar de terem conseguido entrar, cavalo e cavaleiro se viram cercados por cães enormes, que guardavam na entrada para o salão de Gymir. Os uivos e latidos dos cães alertaram Gerda de que algum estranho estava tentando invadir o palácio. A gigante saiu para ver o que estava acontecendo e foi saudada por Skírnir, que explicou o motivo de sua vinda a Jotunheim. Ele tentou convencer Gerda a se unir com Frey, oferecendo a elas as maçãs de ouro. Gerda, porém, recusou, não deixando alternativas a Skírnir.

O servo de Frey resolveu que era hora de mudar de tática e ameaçou decepar a cabeça da gigante se ela não aquiescesse. Gerda riu da ameaça e disse que nada temia. Seu pai, Gymir, logo estaria de volta ao palácio e se encarregaria de Skírnir. O servo não se deixou intimidar e conjurou as runas numa maldição contra Gerda: se a gigante não cedesse, ela seria consumida pela lascívia, sem poder, no entanto, jamais conseguir satisfazer seu desejo; ela ficaria, também, sempre faminta, mas nenhum alimento a saciaria. Além disso, amaldiçoou Skírnir, ela assistiria à própria ruína dos portões de Hel, o reino dos mortos. A única maneira de evitar a maldição era cedendo ao desejo de Frey. Gerda não teve outra escolha, a não ser concordar em acompanhar Skírnir. Entretanto, ela pediu que Frey não a tocasse durante nove noites, o que o deus da fertilidade respeitou.

Apesar de a união entre Frey e Gerda ter se dado de maneira violenta, praticamente um estupro, a gigante veio a amar seu marido e lhe deu um filho, Fiolnir.

Fridleef

Um dos nomes usados por Freyr quando esse deus se aventurava entre os mortais.

Frigga, Frigg, Berta, Holga, Nerthus, Wode

A deusa mais importante de Asgard, uma das três esposas de Odin e mãe do deus Balder, o deus da luz. Seus atributos incluíam o domínio e organização do lar, a manutenção da família, o casamento. Ela possui as chaves dos aposentos e despensas da casa de Odin, implicando sua importância. As esposas dos grandes homens regiam e dirigiam suas propriedades. Sempre traziam consigo, nos bolsos dos vestidos ou penduradas como pingentes ao redor do pescoço, as chaves da casa.

Como Freya, Frigga também é uma deusa da fertilidade. No entanto, enquanto Freya representa o aspecto puramente sexual da fertilidade – repleto de lascívia e de violência –, Frigga incorpora a fertilidade latente na placidez doméstica e representa a felicidade conjugal e a maternidade. Por conta disso, Frigga era normalmente representada com um molho de chaves pendendo da cintura – o símbolo nórdico da boa dona de casa. Mas como toda mulher nórdica, Frigga era altiva e não se submetia completamente ao marido. Certas histórias dão conta de que Frigga cometeu adultério com os irmãos de Odin, Vili e Ve e, muitas vezes, ela busca enganar o marido em detrimento de algum protegido.

Segundo a tradição nórdica, Frigga vive no palácio Fensalir, onde passa grande parte do tempo fiando fios de ouro ou nuvens coloridas. É ela quem pinta de púrpura e dourado as nuvens do poente. Frigga é a única divindade que tem permissão de se sentar no trono de Odin, Hlidskialf, de onde ela vê tudo o que acontece nos nove mundos. Além disso, Frigga também tem o poder de prever o futuro, embora ela relute em revelar aquilo que irá acontecer.

A mais importante deusa do panteão nórdico tem, porém, uma única fraqueza. Provavelmente todas as mulheres padecem do mesmo impulso que Frigga: o de desejar ardentemente acessórios que realcem ainda mais a sua beleza. Certa vez, Odin mandou erigir uma estátua em sua própria homenagem, dentro da qual ele escondeu uma peça de ouro. Graças aos seus poderes, Frigga soube que a estátua escondia a valiosa peça e ansiou por entregá-la aos anões ourives, para que eles lhe fizessem um colar. Frigga não hesitou em roubar o ouro da estátua do marido. Esse ato espelha mais sua independência e atitude insubmissa do que desonestidade.

Fulla

Uma deusa da fertilidade, atendente de Frigga e sua mensageira.

Gangrad

Um dos pseudônimos usados por Odin nas suas viagens ao reino dos homens.

Gefjon

Uma das atendentes de Frigga. Certa vez, ela dormiu com Gylfi, rei da Suécia, e recebeu dele a terra que pudesse arar num dia inteiro. Ela reuniu quatro enormes touros, os filhos com quem tinha tido com um gigante, e no período estabelecido arou grande parte do território do rei. Essa área foi arrastada para o mar pelos quatro touros, formando a ilha da Zelândia. O buraco deixado nas terras do rei logo foi preenchido com água, tornando-se o lago Malaren.

Gersemi

Uma das duas filhas de Freya e Od.

Gná (Liod)

Uma serva de Frigga e sua mensageira. Sua missão mais importante foi levar a maçã da fertilidade ao mortal Rerir.

Grimnir

Um dos nomes usados por Odin na Terra.

Heimdall

O deus que estabeleceu as classes sociais dos nórdicos e que rege os atributos da beleza e da sabedoria era filho de nove gigantes, chamadas Donzelas das Ondas, e de Odin (outras versões dizem que o pai de Heimdall é desconhecido). É ele o guardião de Bifrost, a ponte arco-íris que une Asgard aos outros mundos. É seu dever vigiar Bifrost para impedir que os gigantes inimigos dos Aesir invadam Asgard. Por isso, os deuses lhe deram uma sensibilidade sem igual: com sua poderosa audição, Heimdall pode ouvir até mesmo a grama crescer. Para guardar Bifrost, o deus da bondade também não precisa dormir.

Heimdall concede as Dádivas dos deuses à humanidade, do sueco Nils Asplund (1907).

Wikicommons

Quando algum deus ou visitante cruza a ponte arco-íris, ele é anunciado pelo toque da trompa de Heimdall, Giallar, que pode ser ouvida nos nove mundos. É assim que ele saúda os guerreiros caídos em combate, que chegam a Asgard acompanhados pelas Valquírias para o banquete de Odin. Giallar, a trompa de Heimdall, é a lua crescente, que às vezes o deus pendura num dos galhos mais elevados de Yggdrasil. Nessas ocasiões, os homens podem ver Giallar brilhando contra o veludo negro da noite. Quando chegar o Ragnarök, Heimdall soará Giallar para que todas as criaturas de todos os reinos saibam que o fim dos tempos começou. Durante o Ragnarök, Heimdall irá matar Loki em combate, mas também será morto pelo Mago das Mentiras.

Como Odin, Heimdall tem o hábito de visitar Midgard, o mundo dos homens. E foi durante essas visitas que ele criou as três diferentes classes de seres humanos. Numa noite, disfarçado como o mortal Rig, Heimdall bateu à porta de uma velha cabana, onde vivia um casal: Ai (Bisavô) e Edda (Bisavó). Os dois ofereceram ao viajante uma pobre refeição e o convidaram a se hospedar em sua casa. Rig, isto é, Heimdall, aceitou a hospitalidade e ficou por três noites. Durante sua estadia, o deus dormiu na mesma cama do casal e engravidou sua anfitriã. Depois partiu de volta a Asgard.

Hel, Hell

Hel é a governante de Helheim, também chamado de Niflheim, o submundo da mitologia nórdica. Tem a aparência de uma semimorta, de pele azulada como a de um cadáver. Seu reino é sombrio, mas ela alimenta e abriga os mortos. Algumas vezes, sob certas condições estritas, ela permite que algumas pessoas voltem à vida, embora com cordões presos a elas.

Hermod, Irmin

Filho de Odin e Frigga, era ele quem recebia os heróis no Valhalla. Foi Hermod quem viajou até Hel tentando resgatar o deus Balder.

Hlin

Deusa da consolação, atendente de Frigga. Era muito bela. Hlin limpava com seus beijos as lágrimas das pessoas de luto, aliviava suas dores e ouvia as preces dos mortais, recomendando-as a Frigga, pedindo à deusa maior que as atendesse.

Hnoss

Uma das duas filhas de Freya e Od.

Hoder, Hóder, Hoðr

O deus cego que, enganado por Loki, matou seu irmão, Balder. Numa das versões do mito nórdico, ele vence seu irmão numa competição e, assim, conquista o amor de Nana. Irmão gêmeo de Balder.

Hoenir

Há duas versões sobre os primeiros deuses. Numa delas, os irmãos de Odin sãos Vili e Ve, os quais deram à humanidade tudo o que ela possui. Na versão alternativa, os irmãos de Odin eram Hoenir e Loki. De acordo de essa história, Hoenir deu à humanidade os dons do movimento e os sentidos.

Idum , ðunn

Deusa da primavera, Idun era esposa de Bragi, o poeta de Asgard. Através de suas maçãs douradas, Idun proporcionava a eterna juventude aos deuses. Ela guardava as preciosas frutas num cesto mágico. Não importava quantas maçãs ela retirava do cesto, seu número nunca diminuía. Mas Idun reservava esse tesouro apenas aos deuses. Enquanto estes permaneciam sempre jovens, as outras criaturas eram fadadas a

Bragi toca harpa para Idum. Pintura em óleo do sueco Nils Blommér (1846).

Wikicommons

envelhecer e morrer. Por isso, os seres de todos os nove mundos cobiçavam os frutos de Idun. Por conta disso, o gigante Thiassi raptou Idun certa vez. E foi Loki quem permitiu que isso acontecesse. Os nórdicos explicavam a submissão da primavera pelo inverno com uma lenda sobre o rapto de Idun, semelhante ao mito grego o *Rapto de Perséfone*.

Inverno

Filho de Vindsval e neto de Vasud, Inverno era o vil inimigo do deus Verão.

Kri

O ar, um dos filhos do gigante Ymir. Seus irmãos eram Hler, o mar, e Loki, também chamado de Lodur, o fogo.

Kvasir

Uma figura enigmática do panteão nórdico. Não se sabe se era um deus ou apenas um ser sobrenatural. Surgiu no final da guerra entre os Aesir e os Vanir. Para afirmar a trégua, os deuses cuspiram num vaso cerimonial. Dessa saliva nasceu Kvasir. Tornou-se conhecido por sua sabedoria e virtude. Por conta disso, foi assassinado por dois anões chamados Fjalar e Galar, que queriam roubar sua sabedoria. Tiraram seu sangue, colocaram-no em três recipientes, um caldeirão e duas vasilhas, e misturaram com mel, deixando a bebida fermentar. Quem dela bebesse se tornava poeta.

Fjalar e Galar, por sua vez, foram mortos por Suttung, um gigante de gelo. Suttung tomou para si o hidromel da poesia e o deixou sob a guarda da filha, a bela Gunnlod. Odin, porém, ao saber onde estava a bebida dos anões, foi ter com Gunnlod e a seduziu, engravidando-a de Bragi, o deus da música. Encantada, Gunnlod deixou que Odin bebesse todo o hidromel. De volta a Asgard, Odin vomitou o hidromel num grande caldeirão, mas, sem querer, deixou que caísse um pouco da bebida em Midgard. É por isso que alguns homens têm o dom da poesia. O resto daquele hidromel, Odin reservou para si e àqueles que caíssem em sua graça.

Lodur

Numa das versões do mito de criação, Lodur era um dos irmãos de Odin, juntamente com Hoenir. Os três deuses deram vida à humanidade. As contribuições de Lodur foram o sangue e a saúde. Lodur pode ser comparado a Loki.

Lofn

Outra das belas atendentes de Frigga, Lofn tinha a responsabilidade de abrir caminho para o amor verdadeiro.

Loki

Loki, o deus da trapaça, é uma das figuras mais importantes do panteão nórdico. Representa um aspecto comum e, até certo ponto, estimulado em muitas sociedades ancestrais: o do trapaceiro. Os antigos julgavam que trapacear um inimigo era um ato digno, uma forma de vencer os rivais como outra qualquer.

Ao mesmo tempo em que serve aos seus pares divinos, Loki os engana e não hesita em executar torpes maldades para se livrar daqueles com quem antipatiza. Mas Loki também incorpora o aspecto de deus do prazer e do lazer. Essa personificação é patente na primeira das três famílias que o deus formou ao se casar com Glut e nela gerar Einmyria e Eisa – três divindades do fogo, o elemento relacionado pelos antigos nórdicos ao conforto e ao descanso. A segunda família de Loki tem a ver com seu aspecto malévolo. Com sua outra esposa, a gigante Angurboda, Loki teve filhos terríveis: Hel, a deusa da morte, Jormungand, também chamada de Serpente do Mundo, que se enrodilha com seu corpo gigantesco ao redor de Yggdrasil e ameaça toda a criação, e o lobo Fenris, inimigo mortal dos deuses. A terceira esposa de Loki era a bela e fiel Sigyn, e seus dois filhos com ela eram Narvi e Vali.

O casamento de Loki com a gigante Angurboda não foi autorizado pelos Aesir. Os deuses sabiam que os filhos daquela união ameaçariam toda a ordem do Universo. O Mago das Mentiras buscou, então, meios de enganar os deuses. Ele escondeu seus perigosos filhos numa caverna, mas as crianças cresciam tão rapidamente que não demorou muito até que Odin as descobrisse. O rei dos Aesir decidiu se livrar delas o quanto antes: se elas crescessem até se tornarem adultos, passariam a ameaçar todos os nove mundos. Hel foi enviada por Odin a Niflheim, o reino da escuridão. Mas lá a deusa passou a reinar sobre os mortos, assegurando seu poder. Depois, Odin confinou Jormungand no oceano de Midgard, a terra dos homens. A Serpente do Mundo, porém, cresceu tanto que envolveu com seu corpo o mundo todo, tornando-se uma das criaturas mais poderosas – e ameaçadoras – de Yggdrasil. Quanto a Fenris, o lobo, Odin resolveu trazê-lo para Asgard para tentar treiná-lo. Talvez o ensinando a conviver com os Aesir, o lobo não se tornasse tão ameaçador. Mas a fera era indomável e crescia tão rapidamente que os Aesir, exceto Tyr, o deus da coragem, passaram a temê-la. Os deuses, porém, não queriam dar cabo do lobo, pois ele havia sido trazido a Asgard como um hóspede e seria, portanto, desonroso matá-lo. Decidiram, então, prender o lobo numa corrente para que ele não ameaçasse ninguém.

Loki sendo punido pelos deuses, por Louis Huard (1813-1874).

Não havia, porém, corrente forte o suficiente para prender Fenris. Resolvido a ajudar seus anfitriões, Frey, da família dos Vanir, enviou seu servo Skírnir até o reino dos anões ferreiros para pedir que eles fabricassem uma corrente que nem mesmo Fenris seria capaz de quebrar. A partir do som do pulo de um gato, fundido ao rumor da voz de um peixe, os anões foram capazes de fabricar uma corrente que não poderia ser partida jamais.

Skírnir levou a corrente, chamada de Gleipnir, de volta a Asgard, e os deuses trataram de prender o lobo. Para provocá-lo, eles fizeram uma aposta, dizendo que nem mesmo com seu maior esforço Fenris seria capaz de romper a corrente. O lobo, revelando a astúcia que herdara do pai, concordou em se deixar prender para testar a corrente, mas com a condição de que algum dos Aesir ousasse pôr a mão em sua boca como garantia de que, caso não conseguisse mesmo quebrar a corrente Gleipnir, ele seria libertado. Nenhum dos deuses concordou, a não ser Tyr, o deus da guerra e da coragem. Enquanto Fenris se deixava prender, Tyr colocou a mão na boca do lobo. Fenris tentou se libertar, mas como a corrente não se quebrasse, a fera arrancou irada a mão do deus da coragem antes que ele fosse capaz de tirá-la da sua boca. Agora que estava preso, os deuses o colocaram numa masmorra subterrânea. Os uivos de Fenris, porém, eram insuportáveis, a ponto de enlouquecer os Aesir. Para o calarem, os imortais puseram uma espada verticalmente em sua boca. Ao tentar fechar a boca, a ponta da espada cortou o palato do lobo. Do sangue vertido, formou-se um grande rio, eternamente alimentado pelo sangue que não para de fluir da boca da fera. Fenris, irado, jurou vingança aos deuses. O lobo espera assim pelo Ragnarök, a batalha final que acontecerá no fim dos tempos. Nesse dia, ele será libertado da sua sina e se vingará daqueles que o prenderam durante tantos séculos.

Magni

Filho de Thor e da gigante Iarnsaxa. Ele resgatou seu pai depois que este duelou com o gigante Hrungnir. Depois do Ragnarök, Magni e seu irmão Modi herdaram o martelo de Thor.

Pouco mencionados nas lendas, seus nomes significam, respectivamente,"bravo", "força" e "forte".

Mímir

Deus da sabedoria e do conhecimento. Odin sacrificou um olho no poço de Mímir em troca da sabedoria. No final da guerra entre os Aesir e os Vanir, ele foi viver com os antigos inimigos, como refém, para garantir a paz entre os dois grupos de deuses, mas acabou sendo decapitado. Odin embalsamou sua cabeça com ervas mágicas, e a cabeça passou a dar conselhos ao senhor dos deuses.

Modi

Filho de Thor e da gigante Iarnsaxa.

Nana, Nanna

Deusa da alegria. Ironicamente, ela morreu de tristeza quando seu marido Balder faleceu. Em outra versão da história, ela gostava de Hoðr.

Nerthus

Esposa de Njord, frequentemente igualada a Frigga.

Njord

Marido da gigante Skdi e da deusa Nerthus. Deus do mar, muito rico. Segundo as lendas, possuía belas pernas. Njord pertence à família de deuses dos Vanir, habitantes do reino de Vanaheim. Quando a guerra entre as duas famílias divinas, os Vanir e os Aesir, terminou, Njord foi viver como hóspede em Asgard com seus dois filhos, Frey e Freya. Como Aegir, Njord também é um deus do mar. Mas enquanto Aegir rege as águas profundas, Njord reina sobre o mar próximo às praias e sobre o vento. Em seu palácio, Noatûn, Njord desfaz as tempestades criadas em alto mar por Aegir. A primeira esposa de Njord é Nerthus, mãe de Frey e Freya. No entanto, tão logo Njord chegou em Asgard, ele procurou uma segunda esposa.

Nornas, Volvas, Norns

As três deusas relacionadas ao destino: Skuld (Ser) Urd (Destino) e Verdandi (Necessidade). Elas borrifam água sagrada todos os dias em Yggdrasil, mantendo a saúde da árvore universal. Relacionadas

Representação das Nornas, com seus nomes inscritos com runas, do pintor J. L. Lund (c. 1844). Uma delas, Verdandi, tem asas, fato contrário à descrição dos mitos.

Wikicommons

com as moiras gregas, também são exímias tecelãs, embora desconheçam os padrões que surgem no tecido que tecem, como se não soubessem o resultado de seu trabalho – do mesmo modo como não conhecemos nosso destino. Duas das irmãs de Urd, que é extremamente idosa, e Verdandi, muito jovem, são em geral amistosas com os mortais. Contudo, Skuld ofende-se facilmente, mesmo com as coisas mais triviais. Skuld também rasgava os tecidos das três irmãs quando estavam quase terminados.

Nótt

Deusa da noite, filha do gigante Norv. Tinha três amantes ou, dependendo da tradição, maridos: Naglfari, com quem gerou Aud; Annar, que lhe deu a filha Herda; e Dellingr, cujo filho se chamou Dag.

Od, Odur

O primeiro marido de Freya. Ela o amava loucamente, mas ele a deixou. Depois que ele partiu, Freya passou o resto da eternidade numa confusa mistura de tristeza e busca de consolo sexual.

Odin, Wodan, Woden, Wotan

Odin é o rei dos Aesir, o deus supremo do panteão nórdico, e detém toda a sabedoria do Universo. Filho de Borr e Bestla, pai de Thor, Balder, Hoder, Tyr, Bragi, Heimdall, Ull, Vidar, Hermod e Vali. Suas esposas eram Fjorgyn, Frigga e Rind. Um dos frequentes hábitos do principal deus do panteão nórdico era viajar por Midgard disfarçado de humano seduzindo e engravidando as mulheres. Muitos vikings afirmavam, por esse motivo, serem descendentes de Odin.

Odin conquistou o conhecimento universal e a sabedoria através de esforço e privações. Conta-se que Odin, certa vez, sacrificou a si mesmo para conquistar a sabedoria que está além de tudo o que pode ser aprendido. Durante nove dias e nove noites, trespassado por sua própria lança, Odin ficou pendurado de ponta-cabeça num dos galhos da árvore Yggdrasil. Durante esse período, Odin inventou as runas, através das quais os deuses e os homens podiam conhecer aquilo que está além do tempo e que sempre habitou a alma das criaturas. Por conta da sua iniciação, Odin também passou a ser o deus dos enforcados.

Odin, em sua busca por sabedoria, também concordou em trocar um dos seus olhos por um gole do poço do deus Mímir, cuja água confere sabedoria a quem dela beber. O olho que Odin arrancou do seu rosto é a lua cheia, a qual Mímir pendura, numa determinada época de cada mês, num dos galhos mais elevados de Yggdrasil.

Wikicommons

Odin, o Viajante, por Georg von Rosen (1896).

Odin nunca precisa de alimento, apesar de compartilhar a bebida sagrada dos deuses, o hidromel. Sua arma é a lança Gungnir, que nunca erra seu alvo. Qualquer juramento feito sob Gungnir nunca poderá ser quebrado. Odin cavalga o veloz Sleipnir, um cavalo de oito patas, rápido como um raio. Do seu trono em Asgard, o magnificamente entalhado Hlidskialf, Odin pode ver tudo o que acontece em qualquer um dos nove reinos.

O deus supremo do panteão nórdico compartilha seu trono com uma de suas consortes, Frigga (ou Frigg). No entanto, suas outras duas mulheres, Jörd e Rind, não têm permissão de se sentar no trono de onde tudo se vê. Odin também tem animais que o servem. Seus dois corvos, Huginn e Muninn, voam a cada amanhecer de Asgard e retornam à noite com as notícias que recolheram nos diferentes reinos. Odin também tem dois lobos, Freki e Geri, os quais ele alimenta pessoalmente com nacos de carne crua em um dos seus palácios, Gladsheim, Valaskialf e Valhalla.

Oðr
Entidade muito antiga e de bastante relevo, por vezes confundida com Odin.

Ran
Esposa de Aergir e, como ele, associada com o mar, tinha como rede que usava para arrastar os afogados para o fundo do oceano.

Riger
Um dos nomes usados por Heimdall em suas aventuras entre os mortais.

Rind, Rindr, Rinda
Terceira esposa de Odin, com quem teve Vali. Era frígida e, por conta disso, além de deusa da terra, era a divindade do solo congelado. Rind nasceu mortal, mas foi elevada à posição de deusa depois de ter casado com o rei dos Aesir. Rind era filha do rei Billing, cujo reino estava sendo atacado por invasores. Billing, porém, era muito velho para comandar um exército contra seus inimigos. Atraídos pela beleza de Rind, muitos guerreiros se ofereceram para se casar com ela e defender as terras de Billing. Mas a princesa recusou cada um dos pretendentes. Foi quando Odin desceu a Hel e consultou a alma da profetisa para descobrir o que

podia fazer para evitar a morte de Balder e soube que deveria ter um filho com Rind, pois só essa criança seria capaz de vingar a morte do deus da luz.

Saga

Amante de Odin. O deus a visitava diariamente em seu palácio, Sokkvabekk.

Sif

A deusa que se casou com Thor, grávida de Odin e lhe deu seu filho adotivo Ull. Sif tinha um cabelo loiro do qual ela muito se orgulhava, mas Loki o cortou enquanto ela dormia. Isso enlouqueceu Thor, que ameaçou Loki de morte. O deus das trapaças pediu, porém, que Thor poupasse sua vida em troca de um cabelo ainda mais belo. Por isso, a deusa usa uma peruca de fios de ouro.

Sigyn, Sigunn

Terceira esposa de Loki, que gerou seus dois filhos mortais: Narfi e Vali. Mesmo depois de Loki ter sido expulso de Asgard por causa de seus crimes, Sigyn permaneceu fiel a ele.

Snotra

Como todas as outras atendentes de Frigga, Snotra representa um aspecto da deusa principal do panteão nórdico. Nesse caso, é a deusa da virtude.

Svasud

Um deus belo e gentil, pai de Verão.

Sym

Uma deusa que guardava o portão do palácio de Frigga, impedindo a entrada de visitantes indesejados. Por conta disso, regia os julgamentos e os tribunais mortais.

Thor

Thor, junto com Odin e Frey, é uma das mais importantes divindades do panteão nórdico. Antes da conversão dos escandinavos ao Cristianismo, sua arma, o martelo Mjölnir, era usado como pingente, evocando proteção a quem o pendurava no peito, da mesma forma como o crucifixo veio a ser usado depois da vinda dos missionários cristãos. Filho de Odin e de Fjorgyn, deus do trovão, da fertilidade e das leis, seu atributo maior era a força, e o deus era retratado como um tanto simplório, o que o tornava vítima dos outros deuses, especialmente de Loki.

Como deus dos elementos – do trovão, do clima e das plantações – era também o protetor dos marinheiros, uma vez que era ele quem criava e aplacava as tempestades. Impetuoso e tempestuoso, Thor se comporta com uma grosseria característica. Sua abordagem a qualquer problema era tão simples como brutal: ele apenas eliminava o obstáculo, matando simplesmente quem ousava perturbar a ordem das coisas.

Wikicommons

A Batalha de Thor contra os Gigantes, do sueco Mårten Eskil Winge (1872).

Entre seus atributos, Thor tinha, também, de combater os gigantes – a personificação dos fenômenos naturais que não podem ser controlados e que ameaçam os homens. O som do trovão significava que Thor estava dando combate a essas perigosas criaturas. Representado com longas barbas e cabelos ruivos, Thor falava alto como o som do trovão. A esposa de Thor era a linda Sif, deusa da fertilidade, como Freya e Frigga. Juntos, o casal teve dois filhos: Magni e Modi. Thor também é assistido pelo menino Thialfi, seu escudeiro, e pela menina Roskva. Outra característica de Thor é uma pedra que ele traz encravada na testa. Isso aconteceu por conta de um duro combate que o deus do trovão travou com o gigante Hrungnir.

Týr, Tyrr, Ziu

Deus da guerra, filho de Frigga com Odin ou, em algumas versões, com o gigante Hymir. Era geralmente considerado o mais corajoso dos deuses. Devido à sua menção frequente em histórias, poemas e nomes de locais, Tyr, em determinado período anterior à Era Viking, teve grande importância, talvez até mesmo sendo líder dos deuses. Contudo, com o tempo, provavelmente quando os mitos começaram a ser escritos, sua influência diminuiu. Tyr é um deus da lei, da justiça e dos juramentos – atributos também relacionados a Odin –, bem como o deus do combate singular e da glória.

Tyr foi o único entre os Aesir que teve coragem de colocar sua mão na boca do lobo Fenris, como garantia para que a fera se deixasse prender. Esse sacrifício representa a glória imortal que o deus personifica, a principal virtude cultivada entre os nórdicos. Apesar da sua coragem e habilidade em batalha, o deus que em inglês empresta seu nome à terça-feira (Tuesday, isto é, "dia de Tiw", um dos nomes pelo qual Tyr também é chamado), está destinado a morrer durante o Ragnarök. Na batalha final, Tyr irá matar e ser morto por Garm, o cão que guarda o reino dos mortos, Hel.

Uller, Ullr, Holler, Oller, Vulder

Deus do inverno, da caça, da arquearia, da morte e do esqui. Filho de Sif, filho adotivo de Thor e, talvez, marido da gigante Skadi. Possivelmente um dos amantes de Frigga, Ullr era considerado o deus mais importante depois de Odin, mas nunca teve grande popularidade por causa da frígida estação com a qual é associado. Algumas tradições da mitologia nórdica relatam que a cada ano, durante o verão, Ullr é forçado a passar alguns meses em Hel, e Odin, no seu papel de deus do verão, passa a governar o clima. Em algumas versões da mitologia escandinava, Ullr era responsável pelo surgimento da aurora boreal. Num período anterior à Era Viking, esse deus tinha grande importância. No entanto, no período histórico foi obscurecido por outras entidades.

Vak

Outro dos nomes usados por Odin em suas visitas a Midgard.

Vali

Filho de Odin e Rind, concebido para vingar a morte de Balder. Não deve ser confundido com o filho de Loki, de mesmo nome.

Valtam

Pseudônimo usado por Odin em suas aventuras entre os mortais.

Vara

Uma das atendentes de Frigga, deusa da manutenção dos juramentos, da punição dos que cometiam perjúrios e responsável por recompensar as pessoas que mantinham sua palavra, apesar das dificuldades.

Vasud

Pai de Vindsval e avô do Inverno, Vasud era um deus muito inamistoso.

Ve

Um dos três filhos de Borr e neto do gigante Ymir, irmão de Odin e de Vili. Os três mataram seu avô e com seu corpo criaram Midgard. Certa vez, de acordo com algumas lendas, Odin passou tanto tempo longe de Asgard, que Ve e seu outro irmão, Vili, ocuparam o trono do rei dos deuses e compartilharam sua esposa Frigga – aparentemente sem qualquer objeção da parte dela.

Verão

Um dos primeiros deuses. Era amado por todos, exceto por Inverno.

Vesha

Outro dos pseudônimos usados por Odin em suas viagens.

Vidar, Vídar

Filho de Odin e da gigante Grid, Vidar – o "silencioso filho de Odin" – é o deus que irá matar Fenris, sobreviverá ao Ragnarök e vingará a morte de Odin. Durante a batalha final, Vidar irá vencer o lobo Fenris. Vidar usa sapatos de ferro, dados a ele por sua mãe. No duelo com Fenris, protegido pelos seus sapatos, Vidar pisará na mandíbula inferior do lobo e, puxando com ambas as mãos a mandíbula superior da fera, rasgará Fenris ao meio.

Vili, Willio, Víli

Irmão de Odin e de Ve. Pouco se sabe sobre os irmãos de Odin. Provavelmente tiveram grande importância no panteão nórdico antes da Era Viking. Sabemos que Odin, Vili e Ve remetem à inspiração, à inten-

O deus Vidar, pelo gravurista Lorenz Frölich (1895).

Wikicommons

ção consciente e ao sagrado, respectivamente. Como em muitas tradições, representam três aspectos distintos de uma divindade maior. Os três irmãos mataram Ymir.

Vjofn

Outra das atendentes de Frigga, deusa da conciliação. É ela que busca manter a paz, trazendo concórdia aos esposos e inclinando seus corações ao amor. Esse atributo, aparentemente contraditório num povo guerreiro, ressalta outro caráter dos vikings, isto é, a busca do equilíbrio no amor.

Vöur

Atendente de Frigga, deusa da fé, a qual tinha conhecimento total do futuro.

Wyrd

Mãe das Nornas.

GIGANTES

Angurboða

Junto com Loki, gerou criaturas monstruosas – Hel, a deusa do mundo dos mortos, Jormungand, uma serpente pestilenta, e o descomunal lobo Fenrir. Seu nome significa algo como "aquela que traz tristeza".

Baugi

Irmão de Suttung. Esse gigante empregou Odin como trabalhador quando o deus ia roubar o hidromel da poesia guardada por Suttung.

Bergelmir, Fárbauti

Divindade sobre a qual pouco se sabe. Seu nome significa algo como "atacante perigoso". É marido de Laufey e pai de Loki. Foi o único gigante que sobreviveu ao dilúvio provocado pelo sangue do gigante Ymir quando foi assassinado.

Bestla

Esposa de Borr e mãe de Odin, Villi e Ve.

Bolthorn

Pai de Bestla.

Borr, Jotünn (possivelmente)

Entidade sobre a qual pouco se sabe, citado como um dos ancestrais de Odin.

Búri, Jotünn (possivelmente)

Quando Auðumbla lambeu o bloco de sal, ela libertou Búri.

Fenia

Uma gigante, juntamente com Menia, foi escravizada pelo rei da Dinamarca, Frodi.

Geirröd, Geirröðr

Inimigo de Thor. Geirröd capturou Loki e o obrigou a prometer levar Thor ao seu palácio.

Gerda, Gerd, Gerðr

Uma gigante de gelo de beleza espetacular associada com a aurora boreal. Esposa do deus Frey. O deus da felicidade Freyr se apaixonou perdidamente por essa gigante. Sua paixão por ela foi tão grande que ele trocou uma espada que lutava sozinha pela sua mão.

Gilling, Gillingr

Gigante assassinado pelos anões Fjalar e Galar.

Grendel

De acordo com uma versão dos mitos nórdicos, Grendel é uma gigante marinha descendente de Ymir. Grendel foi morta pelo herói Beowulf, num antigo poema inglês.

Grid

Uma gigante que abrigou Thor e Loki quando viajavam até o palácio de Geirrd. Grid também deu armas a Thor, que nessa ocasião, não estava com seu martelo.

Gunnlod, Gunnr, Gunnlöð

Foi seduzida por Odin quando ele estava buscando beber o hidromel da poesia. Nesse encontro amoroso, o deus e a gigante conceberam Bragi.

Gymir

Pai de Gerda, filho de Aegir, por vezes igualado com o próprio deus do mar.

Hraesvelgr

Gigante cujo nome significa "comedor de cadáver". Sentava-se no extremo norte do mundo transformado em águia. O frio vento norte era produzido pelo bater de suas asas.

Hrungnir

O mais forte entre todos os gigantes. Numa história dos mitos, ele desafia Odin a uma corrida de cavalos para provar que sua montaria, Gullfaxi, era mais rápida que o garanhão Sleipnir.

Hrym

O piloto do barco dos gigantes de gelo durante a guerra com os Aesir durante o Ragnarök.

Hymir

Um gigante idoso que possuía um caldeirão extremamente grande, que os deuses Thor e Tyr queriam usar para fabricar cerveja para os Aesir. Hymir deu o caldeirão aos deuses, mas, depois, tentou atacá-los e foi morto por Thor.

Hyndla

Uma gigante que fazia encantamentos, que ajudou o amante de Freya, Ottar, numa disputa sobre terras julgada pelo Althing, a Assembleia nórdica.

Hyrrokkin

A gigante que lançou ao mar o barco funerário de Balder, chamado Ringhorn. Ela montava um lobo cujas rédeas eram serpentes.

Iarnsaxa, Járnsaxa

Gigante amante de Thor e uma das Donzelas das Ondas. Com Thor, ela teve dois filhos: Magni e Modi. A única menção a essa gigante é que foi amante de Thor.

Laufey, Nál

Laufey é apenas mencionada no mito nórdico em relação à Loki. Além disto, pouco se sabe a seu respeito.

Menia

Uma gigante, juntamente com Fenia, foi escravizada pelo rei da Dinamarca, Frodi.

Mundilfari, Muldilfäri

Pai de Mani e de Sol.

Norvi, Narvi, Narfi

Mãe de Noite.

Senjemand

Um gigante que se apaixonou pela mortal Juternajesta. Ela o rejeitou, afirmando que era velho demais e repulsivo, Senjemand resolveu, então, matá-la. A uma distância de 130 quilômetros, Senjemand disparou uma flecha, que teria acertado na donzela se não fosse pela intervenção de outro admirador de Juternajesta, o gigante Torge, que atirou seu enorme chapéu interceptando o dardo. Quando Senjemand tentava selar seu cavalo para fugir, temendo a vingança de Torge, o sol apareceu e o transformou em pedra, juntamente com a flecha e o chapéu.

Skadi, Skade, Skathi

Deusa das montanhas e das coisas relacionadas ao inverno, como o esqui, esposa de Njord, entre tanto como Njord vivia numa praia ensolarada e Skadi numa montanha fria, os dois não se adaptaram e separaram-se. Essa lenda remete, provavelmente, ao divórcio que não era incomum as sociedades nórdicas.

Skadi, por W.G. Collingwood (1908).

Thrudgelmir, Þrúðgelmir

Gigante de seis cabeças nascido no amanhecer dos tempos dos pés de Ymir. Thrudgelmir, por sua vez, produziu Bergelmir.

Thrym, Thrymr

Filho de Kari. Esse gigante roubou o martelo de Thor e disse a Loki que só devolveria se Freya se casasse com ele. A deusa declinou.

Utgard-Loki, Utgarda-Loki, Útgarða-Loki

Governante de Utgard, a capital de Jotünheim, o reino dos gigantes.

Vafthurudnir

Um gigante famoso pela inteligência, desafiado por Odin, na ocasião disfarçado como o mortal Gangrad, para uma batalha de perguntas e respostas. O perdedor seria decapitado. Odin respondeu todas as perguntas do gigante corretamente, e Vafthurudnir fez o mesmo, exceto pela última questão, que era repetir as palavras que Odin tinha sussurrado no ouvido do seu filho morto Balder. O gigante percebeu imediatamente que ninguém podia responder aquela pergunta a não ser o próprio Odin e que o deus o enganara. De acordo com a lenda, o gigante anunciou que a competição havia sido ganha de modo honroso e que concordava em dar sua cabeça.

Wade

Pai de Völund.

Ymir

O gigante primevo. Ymir foi o primeiro ser a se formar dentro do caos primevo que existia antes de todas as coisas. Todas as outras entidades nórdicas descendiam dele. Odin e seus irmãos, Villi e Ve mataram Ymir e do seu corpo criaram o mundo.

Ymir bebendo o leita da vaca Audhumla (Nicolai Abraham Abildgaard, 1790).

Wikicommons

ANÕES

Alfrigg

Um dos quatro anões que fabricaram a joia fantástica Brisingamen, que trocaram por uma noite de sexo com Freya.

Alvis

Infeliz anão que se casou com a filha de Thor, a gigante Thrud.

Andvari

Rei dos anões de quem Loki roubou todo o ouro, inclusive um anel amaldiçoado.

Austri, Eastri, Istri

O anão que sustenta a abóboda celestial, ao leste.

Berling

Um dos quatro anões que fabricaram a joia fantástica Brisingamen, que trocaram por uma noite de sexo com Freya.

Brock

Esse anão venceu uma aposta com Loki.

Dain

Anão pouco referido nas lendas nórdicas. Mestre ferreiro.

Dvalin

Um dos quatro anões que fabricaram a joia fantástica Brisingamen, que trocaram por uma noite de sexo com Freya. Ele também recebeu a tarefa de Loki de confeccionar a peruca de ouro da deusa Sif, bem como de fabricar a lança Gungnir e o barco Skidbladnir.

Fafnir

Irmão de Otter (Lontra), um anão que conhecia as propriedades dos metais como nenhum outro. Certa feita, Loki foi caçar e, tendo Otter assumido a forma de uma lontra, o deus abateu-o. Fafnir ficou furioso com o infeliz acidente e jurou vingança. Prendeu Loki e seu irmão de honra, Odin, e sentenciou-os à morte. Mas o Mago das Mentiras convenceu Fafnir a poupar-lhes a vida em troca de um saco de ouro. Fafnir, ambicioso como todos os anões, concordou, desde que Loki trouxesse o ouro até a manhã seguinte. Caso contrário, Odin, que ficaria como refém, pagaria com a vida pelo atraso.

Naquela noite, Loki, assumindo diferentes formas, entrou em ricos palácios e roubou todo o ouro que encontrou. Logo tinha o suficiente para comprar a liberdade. No entanto, junto com as peças do tesouro, havia um anel amaldiçoado. Aquele que o usasse sofreria tormentos e aflições. Loki ofereceu o tesouro a Fafnir, que, em seguida, libertou os prisioneiros. Encantado com seu ouro, Fafnir colocou o anel enfeitiçado em seu dedo. Loki o avisou sobre a maldição do anel, mas o anão não

Wikicommons

Fafnir guarda seu tesouro, por Arthur Rackham (1911).

quis ouvir. Julgou que fosse mais uma das mentiras de Loki. Daquela vez, porém, o deus das trapaças falava a verdade. Logo, a maldição do anel começou a se manifestar. Pouco a pouco, Fafnir foi ficando mais duro, mais cruel, até que se transformou num sanguinário dragão. Voltou-se contra seu próprio povo e o expulsou das minas, tomando-as para si. Posteriormente, Fafnor foi morto pelo herói Sigurd.

Fjalar

Um dos dois anões que assassinou Kvasir, Gilling e sua esposa.

Grerr

Um dos quatro anões que fabricou a fabulosa joia Brisingamen e a trocou por uma noite de sexo com Freya.

Hreidmar

Pai de Fafnir.

Ivald

Um ferreiro excepcional. Pai de Dvalin e da deusa Idun.

Lit

Um anão assassinado por Thor durante o funeral de Balder.

Nabbi

Este anão é mencionado brevemente na literatura nórdica como um mestre ferreiro.

Nordri

O anão que sustenta a abóboda celeste ao norte.

Otter (Lontra)

Um anão que assumiu a forma de uma lontra e foi morto por Loki. Irmão de Fafnir.

Regin

Irmão de Fafnir. Não confundir com o humano do mesmo nome, tutor de Sigurd.

Sindri (Eitri)

Irmão de Brock.

Sudri

O anão que sustenta a abóboda celeste ao sul.

Valquírias

As Valquírias, embora não sejam deusas, também habitam Asgard, vivendo num dos três palácios de Odin, o Valhalla. Elas são entidades da morte – as condutoras das almas dos guerreiros caídos em combate, conhecidos como Einheriar. Os nórdicos as retratavam como mulheres lindas e desejáveis, mas tremendamente sádicas e cruéis – exceto com os Einheriar. Durante as lutas, elas cruzavam os céus sobre os campos de batalha, voando com asas de pluma de cisne ou cavalgando lobos ao lado de Tyr, o deus da guerra e da glória.

Wikicommons

Valquíria, ilustração de Arthur Rackham (c. 1911).

Nessa furiosa cavalgada elas erguiam os guerreiros mortos e os levavam ao Valhalla. Por vezes, as Valquírias faziam chover sangue; outras vezes, elas sentavam-se em meio ao campo de batalha e teciam mortalhas com as vísceras dos mortos.

As Valquírias são, na verdade, uma representação mítica das mulheres guerreiras que lutavam nos exércitos nórdicos e germânicos. Algumas delas eram sacerdotisas, "anjos da morte", como os vikings as chamavam, e cabia a elas escolher entre os prisioneiros aqueles que seriam sacrificados, bem como a maneira como iriam morrer. Para os nórdicos, cujo ato de maior bravura – regiamente recompensado por Odin – era a morte em batalha, ser escolhido como vítima sacrifical era uma honra destinada aos prisioneiros mais valentes. As sacerdotisas escolhiam diversas maneiras de matar um prisioneiro, inclusive a "Águia de Sangue".

Seis Valquírias são mencionadas pelos nomes nos textos nórdicos:

Altiv

Uma das três irmãs estupradas pelo ferreiro capaz de forjar objetos mágicos, Völund, e seus dois irmãos Egil e Slagfinne.

Brunhilda

Uma Valquíria que amava Sigurd. Quando ele resolveu se separar dela para ficar com Gudrun, ela mandou Guttorm o assassinar. Guttorm conhecia poções mágicas e as usou para envenenar Sigurd e o bebê que ele teve com Gudrun. Enquanto morria, Sigurd matou Guttorn. Gunnar, marido de Brunhilda, a enterrou ao lado de Sigurd.

Wikicommons

Odin e Brunhilda na visão do ilustrador Konrad Dielitz (1892)

Gudrun

Uma Valquíria que viu a bravura do herói Helgi em batalha e se apaixonou por ele. Logo depois, eles se casaram. A união, porém, foi breve, pois Helgi foi assassinado por Dag. Em seguida, Gudrun veio a se unir a Sigurd. Tempos depois, foi pressionada a se casar com Atli, de quem ela não gostava.

Olrun

Uma das três irmãs estupradas por Völund, e seus dois irmãos Egil e Slagfinne.

Svanhvit

Uma das três irmãs estupradas por Völund, e seus dois irmãos Egil e Slagfinne.

Swanhild

Filha de Gudrun.

Westri

O anão que sustenta a abóboda celeste a oeste.

OUTRAS ENTIDADES

Auðumbla

A vaca primeva Auðumbla alimentou Ymir com seu leite. Ela também lambeu um bloco de gelo.

Fenris, Fenrir

É um lobo temível e gigante, filho de Loki. Durante Ragnarök irá se libertar, devorar grande parte do mundo e destruir Odin.

Himinglaeva, Dúfa, Blódughadda, Hefring, Uðr, Hrönn, Bylgja, Dröfn e Kólga

Entidades das ondas relacionadas aos diversos estados da água do mar – tempestuosas, brilhantes, transparentes, plácitas e assim por diante. Correspondem à percepção que os nórdicos, um povo de navegadores, tinham do mar.

Jörd, Terra

Jörd é a personificação da terra. Ela é mãe de Thor, nela gerado por Odin.

Jormungandr

A serpente primordial que se enrola ao redor do universo viking.

Sleipnir

O cavalo de oito patas de Odin, filho de Loki.

Bibliografia

ASBJORNSEN, Peter Christen; MOE, Jorgen. *Norwegian folk tales*. Nova York: Pantheon, s/d.

CAMPBELL, Joseph. *O herói de mil faces*. Tradução de Adail Ubirajara Sobral. São Paulo: Cultrix/Pensamento, 1997.

EBBUTT, M.I. Londres: Senate, 1994.

GRANT, John. *Viking mythology*. Londres: Apple Press, 1991.

MCDONNELL, Hector. *Holy hills and pagan places of Ireland*. Glastonbury: Wood Books, 2018.

MONMOUTH, Geoffrey of. *The history of the kings of Britain*. Londres: Penguin, s/d.

O'KELLY, Michael J. *Early Ireland: an introduction to Irish prehistory*. Cambridge: Cambridge University Press, 1995.

PENNICK, Nigel. *Celtic sacred landscapes*. Londres: Thames and Hudson, 1996.

ROESDAHL, Else. *The Vikings*. Londres: Penguin, 1998.

ROLLESTON, T.W. *Celtic myths and legends*. Londres: Senate, 1994.

CONFIRA NOSSOS
LANÇAMENTOS AQUI!